好かれる人は雑談がうまい

野口 敏

三笠書房

はじめに……「いいこと」ばかり起こる人は例外なく「雑談がうまい」のです！

みなさんのまわりに、

「話していると、なんだか楽しい」

「なぜか、あの人に話しかけたくなる」

「ずっとおしゃべりしていたい」

と思ってしまう人がいませんか。


誰とでもスッとうちとけて、スムーズに会話を盛り上げることができる人のまわりは、さわやかで気持ちのよい空気感に満ちています。

会話も自然とはずんで、気づいたらたくさんの人やチャンスがまわりに集まってくるものです。

そして、ご存じでしょうか。

好かれる人、まわりから引き立てられる人、なぜか「いいこと」ばかり起こる人は、たいてい**「雑談がうまい」**のです。

そこで、この本では、あなたに**多くのチャンスをもたらす「雑談のコツ」**をたっぷりとお伝えしていきたいと思います。

雑談に苦手意識を持っている人は、

「話題のニュースを話しても、すぐに会話が途切れてしまう」

「自己紹介しても、相手が興味を持ってくれない」

「すぐにネタが尽きてしまう」

「リモートになると、ますます何を話していいかわからない」

と悩んでいることが多いものです。

でも、雑談とは本来、むずかしいものではありません。それはパソコンを通して話すことになっても同じ。

例えば、よくある話題であっても、そこにほんの少し**「自分ネタ」**を加えてみる。「反応がそっけないな」と感じる人に対しても、**相手の体験（相手ネタ）**を尋ねて共感する。それだけで、お互いの心がスッと通じ合います。

話が盛り上がらないときは、「ひたすら傾聴（けいちょう）」しているよりも、**相手のテンションを上げるツボをついてあげる**と、その場の雰囲気がガラリと変わります。

雑談は、会話の入り口です。

どんな人とも気軽に雑談ができるようになると、行動範囲も広がって出会いのチャンスが一気に増えます。

この本で「楽しい雑談の世界」をのぞき、数々のひらめきや発見に触れてください。そして、新しい人間関係に臆することなく入っていってください。

ここでお伝えしていくことは、お客様と話すとき、人脈を広げたいときはもちろん、異性との関係や親子関係をよくしたいとき、リモートで話すときなど、どんなシチュエーションでも共通します。

多くの出会いと感激があなたに訪れることを祈っております。

野口 敏

もくじ

1章

あと少し「自分を出す」と心がつながる！
……雑談は「お互いを語り合う場」です

2章

「共感」と「驚き」でもっと会話がはずむ！

……「知らない話題」でもスムーズに話せるヒント

3章

話が面白い人は「聞く」のもうまい

……これで話し手のテンションが一気に上がる！

4章 相手の想像力をかきたてる「話し方」

……相づちが倍増し、笑いも取れる！

もう「何を話せばいいか」悩まない！

……いたるところから「話のネタ」を拾う秘訣

あと少し「自分を出す」と心がつながる！

……雑談は「お互いを語り合う場」です

1 対面でも、リモートでもスッとうちとけて話せます

打ち合わせに行った先や、リモート会議の前、ほんのちょっとした時間に、何を話したらいいかわからなくて、つい、ギクシャクした感じになってしまったり、なんとも居心地の悪い空気感が漂(ただよ)ってしまったり……。

そんなときって、ないでしょうか。

なんとかその場をもたせようと、「今日は、あいにくの空模様ですね」とお天気ネタを振っても、「そうですね」の一言で終わってしまう。

「今年の花粉は、去年の倍くらいの飛散量らしいですね」とニュースで仕入れた話を振っても、「そうみたいですね」と、今一つ盛り上がらない。

あるいは、相手の話に興味が持てず、話の接ぎ穂が見つからない。

パソコンの画面上ならなおさら、相手がどう反応しているのか、今一つつかめず、沈黙だけが増えていく。

お互いにマスクをしていると、「目」と「声のトーン」に注意しなきゃと集中しすぎて、話したいことがわからなくなってくる。

どれも「雑談あるある」です。

この本では、

「なんだ、雑談って、こんな簡単なことでよかったんだ!」

と、あなたのこれまでの雑談に対するイメージを一新することをめざしています。


雑談上手になるために、時事ネタや雑学を大量に仕入れる必要はありません。

例えば、時事ネタは雑談の王道ではありますが、「誰もが知っている情報」であることも多く、実際のところ、なかなか盛り上がらないことも多いもの。

それよりも、**「あなたがどんな人か」を話す**ほうが、よほど話を盛り上げるのに効果的なのです。

私たちが好きなのは、人間そのもの。

そして、私たちは相手の「日常の様子」「ふだんの姿」を知ることで、親しみを覚えます。

例えば、先ほどあげた、

「今年の花粉は、去年の倍くらいの飛散量らしいですね」

という一言。

これだけで話を終えてしまわず、その後に、

「花粉の時期に窓を開けると、鼻水、くしゃみが止まらないんです」

「実は私、去年、花粉対策マスクをネットで注文したら、百個も届いてしまったので、置き場所に困ってしまって……」

などとつけ加えてみてください。

また、リモート会議なら、

「リモートって、沈黙が気になってなんだか話しにくいですよね」

マスク姿なら、

「マスクって表情がわからないから、〝目〟に意識が集中しちゃいますよね」

など、自分が感じていることを口にしてみましょう。

こんなふうに「ふだんのあなたの姿」「あなたが感じていること」を伝えると、相手も「実は、私も……」と話が広がっていきやすいもの。

お互いの知らなかった部分を少しずつ知ることで、話がはずみ、お互いに親しみを感じるようになるからです。

この「三つのポイント」を押さえるだけでOK

たとえあなたの日常が「平凡だな」と感じるものであっても、**相手がリアルにイメージできるように話す**ことを心がけてみること。

私の話し方教室では、話をするときには、

◇日常の暮らしぶり
◇自分の人柄
◇人間関係

が出るように意識して話しましょう、と伝えています。

例えば、朝起きるのが苦手であれば、そのときの「心の声」を言葉にして話せば、もう雑談の始まりです。

「寝ているときは、『あと五分寝たい』と思うのに、支度を始めると『なんで、もう五分早く起きなかったんだ！』って、悔やむんですよ〜」

どうでしょうか。これなら簡単ですよね。

話が苦手な人は、「こんなことを話しても、その後が続かない」と心配して、いい話題を持っているのに、結局、その話を心の底に押し戻してしまうようです。

そんなとき、ちょっと心をゆるめて、あなたから口火を切れたら、相手もその話を受けて何か話し始めるものです。

「とりあえず、話を始めること」が、**雑談上手の一歩**、と心得ましょう。

また、あなたの日常を披露した後に、**あなたの人柄がにじみ出る話**もつけ加えてみてください。

出勤のために靴を履いたところで、はたと忘れ物に気づいた。しかも履いているのが、女性ならブーツ、男性なら紐で結ぶタイプの革靴だったとき、そこでどんな選択をするのか……。

それが「人柄」です。


片足だけ脱いでケンケンしていくのか、脱がないで膝歩きでいくのか。「かまうもんか」と土足（！）でいくのか。そこには、人柄がにじみ出ています。

よく見知った人であれば、そんなことを突然話しても大丈夫。

「私ね、すごく横着でね……」

と切り出せば、きっと相手も喜んで体験談を聞かせてくれるはず。すると、互いに親近感が深まり、より楽しい話が広がっていくのです。

雑談のヒント

日常を具体的に伝える

×「私の朝はふつうです。変わったところなどないと思います」

○「私は朝ぼんやりしていて、時々歯をどこまで磨いたか忘れてしまって、もやもやすることがあります」

○「歯を磨いていて、久しぶりに自分の顔をまじまじと見て、びっくりすることがあります」

「想像力が刺激される」と会話が盛り上がってしまう

「昨日は、スーパームーンだったそうですね」

「『鬼滅の刃』は読みましたか?」

「台湾では水不足で、半導体の生産に影響が出ているそうですよ」

雑談は、いわゆるタイムリーな話題や、時事ニュース、そのときに流行(はや)っているネタから始まることが多いもの。

もちろん親しい友人どうしであれば、ここから話を盛り上げていくことはできるかもしれません。でも、まだそれほど親しくない相手、仕事先の相手ですと

「時事ネタ」のみでは話が尻すぼみに終わりがちです。

例えば、大病から復活した女性スイマーの話で、スポーツニュースは大盛り上がりです。本当に素晴らしいお話ですが、それも雑談ネタとして使うと、

「よく復活できたね」

「体だけでなくて、心も相当強いんだね」

と話したら、そこから話を広げるのはむずかしいものです。

「ウンチクを語るだけ」ではダメなんです

なぜ「時事ネタ」だけでは盛り上がらないのか。

それは、その話から「あなたの姿」も「相手の姿」も、まったく見えてこないから。

私たちは、相手の人柄や、人との関係性、さまざまな感情に触れたとき、相手にグッと親しみを感じ、「もっと話を聞いてみたい！」と感じるもの。

そして、**想像力が刺激**されて、次から次へと話すネタが生まれてくるのです。

こうしたいわゆる「時事ネタ」を次々にくりだしても、相手が知りたい情報や目新しい情報でなければ、残念ながら興味を持ってもらえません。

例えば、天体ショーにあまり興味がない人に、

「今週末、しし座流星群が見られるそうですね。東京だと、××の場所できれいに見られるそうですよ。なんでも……」

とウンチクを語っても、その場は上滑り(うわすべ)りになるだけ。

でも、例えば、

「今週末、しし座流星群が見られるみたいですね。思わず双眼鏡を買っちゃいました♪」

と言えば、あなたの「人柄」が伝わるので、相手は親しみを持つものです。

冒頭に紹介した、

「昨日は、スーパームーンだったそうですね」

という話題でも、ちょっと自分に近づけて話すだけで、がぜん話は盛り上がります。


「スーパームーンの夜、ベランダから家内に『見にきたら？』って声をかけたら、『明日見るからいい』って、言われちゃいました〜」

「スーパームーンって、願い事は叶えてくれましたっけ？思わず願い事をしたんですけど……」

などと言えれば、

「次の日じゃ、スーパームーンは見られませんよね！」

「それって、スーパームーンじゃなくて、流れ星じゃないですか？」

といったリアクションが返ってきて、笑いも生まれ、まわりとの距離も縮まるはずです。
こんな**「軽やかさ」を感じさせるネタ**をたくさん引き出しに入れることができたら、あなたの雑談は一夜で変わります。

雑談のヒント

話が広がるような話題にする

■「今年は暖冬みたいですね」と話しかけた後で…
×「寒くないから、過ごしやすいですね」
○「朝、エアコンをつけずに頑張っちゃうこともありますよ」
○「私の一番分厚くて、かっこ悪いコートが登場してませんから」

■「今年の夏は台風が多いらしいですよ」と話しかけた後で…
×「本当に困りますすね」

○「ますます、会社に行きたくなくなりますね」

■「羽生結弦(はにゅうゆづる)くん、また最高記録を更新しましたね」と話しかけた後で…

×「三百点超えなんて、すごいですよね」

○「私は演技よりも顔ばっかり見ています」

「お天気の話」もちょっと工夫するだけで……

「今日は、いい天気ですね」

「空が暗くなってきました。午後から雨が降るそうですよ」

「台風の進路、気になりますね」

私たちは、本当に**「天気の話」**をよくしますよね。

「いい天気ですね」って、とってもいい話題だと思います。

でも、

「そこから話がはずまないのなら、言わないほうがまし」

と思っている人が多いと聞きます。

確かに「この季節に天気が一週間以上も続くのは、十年ぶりらしいですね」と、ニュースで聞いた話だけで会話を続けても心ははずみません。

にもかかわらず、**なぜ雑談のきっかけに天気の話が選ばれる**のでしょうか。

それは**天気の話は「どんな人とも必ず共通するいい話題」**だから。

そして、相手からは**必ず「そうですね」という肯定的な返事**がくるから、です。

「いいリズム」をつくり、気持ちのキャッチボールを

「いいお天気ですね」

「そうですね」

とか、

「夕方から降ってきそうですね」

「そうですね」

とやりとりすることで、二人の間には「いいリズム」が生まれています。

「……ですね」

と話しかけた後に、

「そうですね」

と、**相づちを打たせる「間」をつくる**のが、いい会話をつくるポイントなんですね。


つまり、**言葉と同時に気持ちをキャッチボールする**のです。

相手と気持ちがつながると、話をする雰囲気が生まれます。

このとき、気をつけたいのは、「今日はいい天気だから……でね、そして」と一気に話を進めないこと。

会話では相手を置き去りにして独走するのは禁じ手。

必ず**「相手と歩調を合わせる」**ことが大事です。

「私ネタ」の入れ方

さあ、問題はここから。どのように「私ネタ」を入れていくか、です。

コツは、

「天気がいいから私は……」

「雨になりそうだから私は……」

と、その話に続けて自分が「しそうな話」「ありそうな話」を短くしてみます。

「いい天気ですね」「そうですね」のやりとりに続けて、例えば、

「今日は天気がよかったので、家のベランダから富士山がきれいに見えました」

「あまりに気持ちがよいので、ちょっと早起きして散歩をしてみたんです」

なんていうお話をしてみます。

どうでしょう。相手に対して、イメージがふくらみませんか？

きっと、相手が会話のうまい人なら、「いいところにお住まいですね」などと話を広げてくれるでしょう。

「うちのベランダからは工場のエントツしか見えませんよ」

「朝の散歩は、脳にもとてもよいそうですよ」

と、軽い話を返してくれるかもしれません。


また、「夕方から雨が降ってきそうですね」というやりとりの後には、どんな「私ネタ」が考えられるでしょうか。

例えば、

「駅まで自転車できているので困ります」

「天気予報では、雨なんて言ってなかったのに……」

と続けてみましょう。

「私の話」が「時事ネタだけの話」と違うのは、その話から**あなたという人物がほのかに伝わってくる**ところ。

「ベランダから富士山が見えるところに住んでいるんだ」

「駅まで自転車で通っているんだ」

と、大した話ではないのに、相手にはあなたの生活するイメージが小さく刻まれていきます。

すると、相手はあなたに親しみを感じていくのです。

雑談のヒント

会話にいいリズムをつくってみよう

■「いいお天気ですね」と話しかけた後で…
×「ずっとこんな日が続くといいですね」
○「布団を干してくればよかった。先週は雨ばかりで干せてないんですよ」

○「通勤電車から富士山が見えるんですが、本当にきれいなんです」

■「夕方から雨が降るそうですね」の後で…
×「今週は、こんな天気が続いていますね」
○「折りたたみ傘を毎日、持ち歩いていて正解でした！　傘はすぐに置き忘れてしまうので」

■「週末のお天気、心配ですね」の後で…
×「今週は晴れてほしいですね」
○「久しぶりにサッカー観戦に行くので、本当に晴れてほしいんです」

■「最近、急に暑くなりましたね」の後で…
×「今年は猛暑になるみたいですね」
○「私、夏が好きなので早く海に行きたくって」

「毎日、していること」は話のネタの宝庫！

ここで、「私の軽い話」の見つけ方をお伝えしましょう。

それは、あなたが**毎日行なっている「当たり前」のこと**を取り上げればいいのです。

例えば、出勤前の朝。あなたは何をしていますか。

一つ例をあげれば「起きる」もいい話題。


「起きるのに三十分ぐらいかかる」

「毎朝、死にそうなくらい眠い」

「ネコが起こしにくる」
「目が覚めたらすぐ立ち上がれる」
「起きてすぐに全力で走れると思う」

その他、朝の話題だけでも、「顔を洗う」「ヒゲを剃る」「化粧をする」「朝ご飯を食べる」「着替える」「鏡を見る」「テレビを見る」「靴を履く」……と枚挙に暇がありません。

そのあたりのことをちょっと話題にしてみれば、いい雑談が始まります。

「おはようございます、今日も寒いですね」
「本当に」
「朝、起きるのがつらいですね」
「イヤね」
「私、朝の支度が遅いんですよ」

「そう」

「寝ぐせなんか直す時間もなくて」

「そうなんですか」

「電車の窓に映った自分を見てびっくりするんですよ」

「あるある〜！」


朝だけでも、こんなに話題になりそうなことがあります。

「通勤」に目を向けてみると、さらにネタは増えるでしょう。


他にも、「会社に着いてから始業まで」「ランチタイム」「終業間近」「アフターファイブ」「夕食」「お風呂」「就寝前」「寝床で」と時間で区切ってみても、一日でいろんな話題があるはず。


その中に、**話のネタになる「ミニ事件」**がきっと起こっています。

それを見つけて人に話してみましょう。雑談がさらに楽しくなっていきます。

みんな「リラックスできる話題」を聞きたい

「そんなくだらない話でいいのですか？」と時々、質問をされます。

ですが、**雑談ネタは、少しくだらないくらいのほうが、お互いリラックスできて最高です！**


だって、「三十代、四十代のあるべき働き方」なんて小むずかしい話をされるほうが困っちゃうでしょう。


他人は「あなたの日常」を知りたいのです。

無意識のうちに、

「どんな暮らしをしているの？」

「どんな人柄の持ち主？」

「どんな人間関係を築いているの？」

ということろに興味を持ってしまうのですね。

そして、「そうなんだ～、私と一緒だ！」と共感したり、「へえ、私とは違う！」と驚きを持ったり。

それがまた、新しい興味となって、あなたという存在を強く印象づけていくのです。

このことは、たとえ相手が初対面の人でも同じなのです。人は人が好き、そして人にとても興味があります。

雑談のヒント

一日の行動パターンを振り返って考えてみよう

Q1　朝食は何を食べる？……「パン派」「ご飯派」それとも「食べない派」

Q2　通勤中の行動は？……「ギリギリで電車に飛び乗る？」それとも「余裕がある？」

Q３　ランチ代の節約法は？　……「三百円弁当派」「おにぎりだけ持参派」

Q４　ふだんの生活でやめたいことは？　……間食、コーヒーを飲みすぎる

Q５　一番幸せを感じる瞬間は？　……「ご飯を食べるとき」「お風呂タイム」「寝るとき」

ありきたりなニュースを「ウケるネタ」にする

ニュースで仕入れたネタも、「軽い私ネタ」につなげることができれば、たちまち「いい話題」になります。

例えば「新しい感染症が地球的な流行」というニュースが流れたら、まずは時事ネタについてしっかり話します。

「感染症、なかなか落ち着かないね」
「恐いね」
「若くてもかかると恐いらしいよ」

「そうよ、気をつけなくちゃ」

新聞やネットで仕入れたこういう話はこれぐらいにして、いよいよ「私の話」に突入です。

たとえ自分はかかっていなくても、自分がその病気に備えてしていることなどを「私ネタ」として話してみるのです。

「とりあえず、いつもより百円高いマスクを買っておいたわ」
「それ効果あるの？」
「わからないけど、百円高いと効くような気がして」
「で、それいくらするの？」
「五枚入りで七百八十円」

「軽い私ネタ」につなげるコツは、その旬の話題が「自分にどんな関係があるのか」「どんな行動を起こさせてしまうのか」をお話しすること。

どんな時事ネタでも、巡りめぐって自分に関係しているものです。ニュースを見て他人事と聞き流さないで、**「自分にどう関係するかな?」と考える習慣を持つこと**です。

「かたい話」を「とっつきやすい話」に換えるには

これは「ワクチン接種」のような、かたい話でも同じ。

そこから「軽い私ネタ」にすればOK。

あなたが感じていること、影響があること、話したことなどを「私ネタ」にして話してみます。

すると、こんなにとっつきやすい話に早変わり。

「ワクチン接種が始まったね」

「ワクチンは、私の年代には順番がなかなか回ってこないですよ」
「うちの小一の息子に、『ワクチンを打つと病気にかかっても、わくちんってくしゃみするぐらいですむよ』と言ったら、冷めた返事が返ってきたよ」
「小一にもウケなかったか」

と、こんな感じです。

雑談のヒント

時事ネタも自分にちょっと引き寄せてみる

■ワクチン接種については…

「私は名前が青木だから、小学校のときの注射はいつも一番先で、どれくらい痛いか、みんなに報告する役だった」
「私は名前が渡辺だから、小学校のときの注射は最後なので、ずっとドキドキしていないといけなかった」

■携帯電話も5G時代…

「携帯は〝電話〟と〝ライン〟ぐらいしか使わない私には、1Gでいいぐらいだ」

「5Gって、こっちの頭はかなり低速なのに、もうついていけない」

「身近な人たち」を登場させるとよりリアルになる

雑談力の中級編として、「あなたの人間関係をからませる」という方法をお話ししましょう。

「暖かくなってきた」「もう四月なのね」などという話に続けて、

「だからうちの旦那は」

「家内は」

「母親は」

「職場の隣の席の人は」

「うちの犬は」

と、**自分のまわりにいる人たちをエピソードに登場させる**のです。

「今年の花粉は多いそうで困りますね」
「そうですね」
「私は花粉症がひどくて」
「そうなんですか」
「うちの母は花粉症ではないので、私のつらい気持ちなど少しもわかってくれないのです」
「あら」
「昨日も、朝起きるなり窓を全開にして空気を入れ替えようとするんです」
「わー」
「私は途端(とたん)にくしゃみ連発ですよ」
「そりゃイヤですね」
「すぐさま窓をピシッと閉めてやりました」

「へー」

このように、花粉の話に母親を登場させ、ちょっとしたやりとりをまじえて伝えてみます。

ここまでできないという方は、「母親は花粉症のつらさをわかってくれないので、困ります」という程度の話でも充分です。

相手も同じような話をしてくれるかもしれませんし、あなたに問いかけてくることだってあります。

なんでもないような話ですが、相手にはあなたが母親と一緒に住んでいて、母親は大雑把(おおざっぱ)なあっけらかんとした人なんだなというイメージがわきます。

それであなたという人を、一つ理解したことになります。

そうやって人は少しずつ「お近づき」になっていくのです。

「くだらない」と思う話ほど面白い?

私が生徒から教えていただいた、とっておきのお話。

彼女のご主人は、ふだんあまり「ありがとう」という言葉を使わないらしいのです。

でも、会社に出かける彼を玄関で見送るとき、たまに彼が彼女の手を握って、

「いつも、ありがとうな」

と言うらしいのです。

彼女はそのたびに、

「何で今?」

「何のありがとう?」

と思い、

「おまえはもう、家に帰らないのかい!」

「戦場にでも行くのかい!」

と思うそうです。

こんな話を聞かせてもらえたら、誰だって彼女のことに関心を持ちますし、親しみも覚えるでしょう。

あなたにも、こんなエピソードの一つや二つはあるはず。

「こんなくだらない話など聞きたい人はいない」ですって?

そんな話をみんなが待っているのですよ。

雑談のヒント

身近な人との「ミニバトル」を伝えてみる

自分「毎日、相当冷え込みますすね」
相手「ええ、本当に」

自分「冬場のエアコンの温度、何度に設定していますか？」
相手「えっと、二十二度ぐらいかな？」
自分「それぐらい必要ですよね！」
相手「ええ」
自分「ウチの会社は二十二度にしてしばらくすると、暑いと眠くなるからと言って、暖房の真下にいる人が二十度に下げるんです」
相手「あら、困った」
自分「私は窓際なので本当に寒くって…。この間なんか、エアコンのスイッチを切ったんですよ。だから私も、その人が席を立った瞬間にエアコンをつけに行ってやりました」

「感情移入されやすい話」を選ぶ

ここで、「雑談力の上級編」に入りましょう。

今度は、「自分の些細な気持ち」を話題にしてみます。こちらも取るに足らないような「軽い私ネタ」を探します。


ちょっと悔しい、小さなあきらめ、思い違い、ささやかな怒り、情けなさ、小さな欲望……私たちの心はさまざまな気持ちをつくり出し、あなたに届けています。そうした気持ちは、すべての人に通じること。

「感情」はどんな人も持っていて、人を惹きつける魅力を持っています。

だから、私も相手から「気持ち」を聞かされると、

「わかる、わかる。私も一緒」

と共感するときもあれば、

「えっ！　そんなことを感じるんだ！」

と驚くときもあります。

「超・焦った！」そんな経験こそ物語る！

例えば通勤時にも、私たちはさまざまな気持ちを体験しています。

自分の「慌てる」「焦り」「あきらめ」などという気持ちに気がつけたら、もう雑談のネタがばっちり拾えます。


「今朝は早く準備ができたので、ゆっくりテレビを見ていたら、家を出ないといけない時間を過ぎていて、すっごく慌てました」

こんなことぐらいは、誰にでもあることでしょう。まずは口にしてみることが先決です。そこから思わぬ展開になるかもしれません。


「急いでいるときに限って、前にゆっくり歩く人がいて焦るんですよ」

「わざと足音を立ててみたり、くっつくぐらい近寄って『急いでいます』ってアピールしたりするけど、気づいてくれないのよね」


これなどは、もう「物語」が始まっていますね。

互いの「感じ方」や「経験談」が乱れ飛び、興奮度が高まります。


「改札のあたりで電車が入ってくる音がするのよ。『ああ、もうダメ』っていう声と、『急いでみろ、いけるかも』っていう声がしてね」

「そういうときって、階段を上がる自分の足がすごいのろく感じるよね？」

「うん、もどかしい」

こんな会話も、意外と盛り上がります。

みんな階段でつまずいたり、尻もちをついたり、パンツ丸見えになったり、目の前でドアを閉められたり、飛び込みセーフだったり……と、生きていればさまざまな経験をしているはず。

こうした**「ちょっとした話」がきっかけとなって、相手の面白おかしい話を引き出せる可能性は大**なのです。

忙しい日々を送っていると、自分の「些細な気持ち」を見逃しがちになります。でも、あなたの心は一瞬一瞬、あなたにいろんな気持ちを届けているのです。

「あっ、悔しい」

「あっ、ムッときてる」

「あっ、ちょっと嬉しい」

と、自分の気持ちをつかみ取り、相手に伝えられるようになったら、あなたは雑談の王者。きっと、まわりを笑顔にさせてしまうでしょう。

雑談のヒント

「たわいない体験」で感じた気持ちを話してみる

■「もどかしい気持ち」を話す

「遅刻しそうなときほど、エレベーターってなかなかこないんですよね」

■「恥ずかしい気持ち」を話す

「駆け込み乗車をしようとして直前でドアが閉まったとき、電車の中にいる人の視線が恥ずかしい」

■「小さな欲望」を話す

「運よく、目の前でお目当てのまぐろに値引きシールが貼られまして」

8 「重い話」は心にゆとりがある人限定で

いくら「私ネタ」がおススメとはいえ、雑談に不向きなのが**「重たい話」**。

例えば、

「母の介護がつらくって」

「主人の会社が危なそうなの」

「一生独身で暮らすとなると、将来が不安ですよ」

など。

こうした話題は、朝の始業前とか、ランチタイムに気軽にする話題ではないですね。相手も反応に困ってしまうでしょう。

重たい話でも「前向きに」話せる人

ただ、「重たい話」も前向きに、ポジティブにとらえている人の話は、けっこう聞けるもの。

例えば、こんなふうな感じです。

「母の介護で忙しくてね。すごく勉強したわよ、介護のこと。老人ホームって倒産するのね。だからどこが安心か、すごく調べちゃった」

↓

思わず「えーっ！　そうなの？　少し聞かせて」ってなります。

「主人の会社が危なそうで、私もこの歳でまたパートに出なくちゃならないわ。多分ジムに行かなくても、今よりだいぶやせるわ」

← 「うん、人生何が幸いするかわからないね」と励ましてやりたくなります。

「一生独身で暮らすとなると、将来が不安ですよ。今一番聞きたくないのは、あいつだけは結婚しないと見下していた友達の恋バナですよ」

← 「結婚式では、ぜひスピーチしてあげてね」なんて脅（おど）かしてやりたいですね。

たとえ「重たい話」であっても、本人があっけらかんと話せば、相手が気まずい思いをしたり、相手に心理的な負担をかけたりすることもないので、大丈夫です。

そして、**「本気の愚痴（ぐち）」や「深刻な悩み」を話すのは、「聞く力のある人」に、しかもその相手が「気持ちに余裕があるとき」限定**で、と覚えておきましょう。

雑談のヒント

重たい話には「ツッコミどころ」をつくっておく

「うちの家内が家を出て、二週間も経ちます。時々スーパーで見かけて『奥さん！』って声をかけるんですけど、無視ですわ」

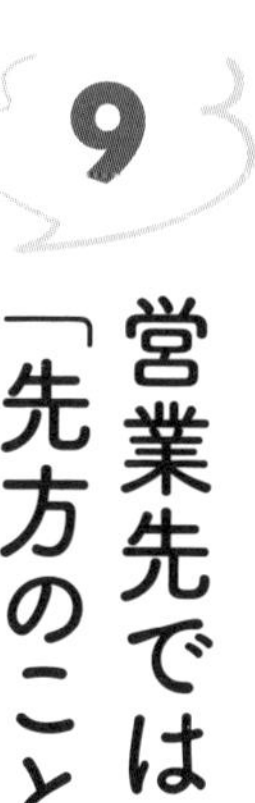

営業先では「先方のこと」を話題にする

営業や商談などのビジネスシーンでも、「本題に入る前の雑談」は、とても大切です。とくに、初めての訪問先では、お互いに雰囲気がかたくなりがちですから、うまく場の雰囲気を良好にしたいものです。

とはいっても、あくまでも「ビジネスの場」ですから、職場の同僚と交わす雑談のように、あまりくだけすぎると場違いになってしまいます。「距離感の取り方」には気をつかわないといけません。

会話の入りとして「時事ネタ」なども悪くはありません。

ですが、相手の会社の周辺に関する話題、会社そのものに興味を持った入り方のほうが、より相手の話を自然に引き出せていいでしょう。

例えば、

「駅から歩いてきましたが、こちら様のまわりには美味しそうな定食屋さんがたくさんありますね」

「こちらのビルのエレベーターは速いですね。あっという間に三十階に着きました」

などと話を向ければ、場も和みやすいものです。一気に先方の会社の話になって仕事の話がしやすくなるでしょう。

相手の話を引き出したら、そこで自分の話を短めに挟みます。

「弊社の近辺は殺風景で、立ち食いそば屋しかありません」

「弊社のエレベーターは遅い上にセンサーがあまくて、人に触れてもおかまいなしに閉めようとしますから。挟まれるとすごく痛いんですよ」

相手のふだんの様子が、ほんの少し垣間見える話を聞かせてもらう。

自分もまた、ふだんの姿をほんのりと見せる。

互いのことを少し知ると、親しみがわきます。

すると不思議なもので「仕事のつながりを持ってもいいかも」と思ってもらえる可能性が出てきます。

互いを「ほんの少し」「ほんのり」と見せ合う

ポイントは「**ほんの少し**」「**ほんのりと**」**互いを見せ合う**こと。

いきなり、

「今度の人事で専務派が力を持ちまして」

「家内とうまくいっていません」

などという深刻な話は禁物です。いきなり子どもの写真を見せるのも、やりすぎでしょう。

相手との距離が少し縮まったら、「小さな気持ち」を使ったネタを披露するチャンスです。

「この前、新入社員が『課長はどうして、そんなに上から目線なんですか！』って抗議してきましてね。そのまま説教部屋行きでしたけども（笑）。私なんか、彼らとどう接していいのか、戸惑ってばかりですよ」

すると、相手も似たような話をしてくれるでしょう。

こうして互いの距離を縮められたら、早速仕事の話に入ります。きっと本音が出やすくなっているはず。

雑談の時間は、数分以内が理想。相手もきっと忙しい身です。

これはリモートワークになっても同じです。

「画面上だと相手の反応がわからないから」とあきらめずに、少しだけでもその場が温まるような、ちょっとした「自分ネタ」を披露してみましょう。

雑談のヒント

アイスブレイクしながら、じっくり距離を縮める

■オフィスからの眺めを話題にする

自分「眺めのいいオフィスですね。うらやましいです。弊社は一階にあるものですから」
相手「そうなんだ」
自分「はい。一日中、陽（ひ）が差さないので、こうした明るいオフィスを拝見するたびに、高層ビルの会社に勤めたかったなって思うんです」
相手「陽が差さないのは困りますね」
自分「そうなんです。こんなオフィスだと仕事もしやすいでしょう」
相手「そうですね。忙しくて、外を見る余裕なんてほとんどないけど、気晴らしにはなるなあ」

■会社付近のお店を話題にする

自分「駅から近くていいですね。弊社は駅から遠くて、走っても十五分ぐらいかかります」

相手「へえ、遠いね」

自分「その上、お店もたくさんあってうらやましいです。私はランチ特集をしている雑誌は必ず読むのですが、こちらも人気のお店がたくさんありそうですね」

相手「まあね、忙しくてほとんど行ってないけど」

自分「もったいない！　同僚は『どこか、美味しいところない？』が口グセですよ。立ち食いそば屋ばかりなので」

相手「そういえば、この間テレビで紹介されていた店があったな。確か…」

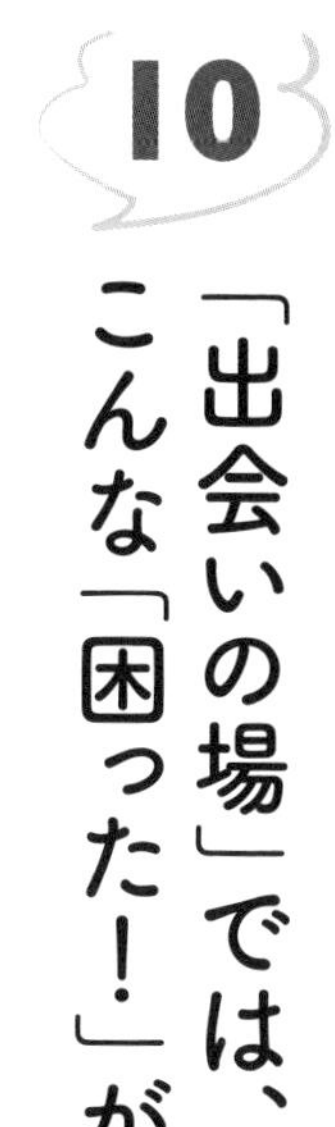

10 「出会いの場」では、こんな「困った！」が共感を呼ぶ

男と女の「出会いの場」では、雑談力がモノを言います。

「軽い私ネタ」が上手かどうかで、次のデートへと進めるかどうかが決まる、と言ってもいいでしょう。

なのに、延々と報道系ニュースや仕事の話をしている人が多いと聞きます。

「これからは、ドル貯金を覚えておいたほうがいいですよ。預金封鎖の噂なんか聞いたことはないですか？」

と、女性に一時間も解説をした金融関係の会社に勤める男性。

「司法書士の業務というのは……」

と、日が暮れるまで丁寧に説明を続けた女性。

出会いの場とは、ビジネスの知識を深めるところではなく、**互いの「人となり」を理解し合う場所**です。

そこで仕事の話を延々としていたら、愛など芽生えるはずがありません。

ここはまさに「軽い私ネタ」の出番です。

人となり、暮らしぶりを「ほのかに」イメージさせる

おススメは、「今、二人がいる場所」についての話題。ここから入れば、まず間違いないでしょう。

「ここの場所がわからなくて、入り口の前を三回も通り過ぎていたんです」

「スマホで場所を確認しようとしていたのに、出がけに上着を替えたら、着替える前のジャケットのポケットにスマホを入れていて焦りました」

「こういう雰囲気には、なかなか馴染めません。なんだか、おどおどしちゃいますね」


取るに足らない小さなお話ですが、相手はあなたの「人となり」や「暮らしぶり」をほのかにイメージできます。

当然、質問だってしやすいので話は広がっていきます。


「何分前ぐらいに、会場の前にお着きになったのですか？」

「スマホなしで、よくここまでたどり着けましたね」

「お仕事での会話とは違いますよね」


と、どんどん互いの姿がはっきりしてきて親しみが深まります。

つき合う上では会話は必需品ですから、「話がはずむかどうか」は相手を判断する上で重要なのです。

　そして、話がはずんだところで、自分の人間関係を軽く見せてあげます。

「うちのおふくろなんですけどね、ちょっと抜けているところがありまして」

「まあ」

「朝食に出てきたパンを指して、これ焼きたてのパン屋さんで買ってきたって言うんですよ」

「ええ」

「『いつ買ったの?』って聞くとね」

「はい」

「『昨日』って言うんですよ」

「ええ」

「『じゃ、焼きたてじゃないじゃん』って言ったらね」

「はい」

「『昨日は焼きたてだったんだよ』って言うんです」
「ハハハハハハ」
「つき合いきれません」
「面白いお母さんですね」

家庭環境までほのかに見せることができたら、相手はあなたにさらに親しみと興味がわきます。

出会いの場所に出かけるのなら、自分を上手に見せる「私ネタ」を磨いておくと幸せが近くなります。

雑談のヒント

「朝起きてから会場に着くまでの話」を仕込んでおこう

「すごくおしゃれなお店ですね。敷居が高くて、なかなか入ってこれませんでした」

「何を着てこようか迷って、遅刻するところでした。いつもは制服（スーツ）なので」

「緊張して、しどろもどろです。ちょっとビールでも飲んでみましょう」

2章

「共感」と「驚き」でもっと会話がはずむ！

……「知らない話題」でもスムーズに話せるヒント

どんな話も「面白がれる」練習をしよう

「他人に興味が持てなくて、何を話したらいいのかわかりません」

そんな言葉をよく耳にするようになりました。

他人に興味がわかなければ、何を聞けばいいのかわかりませんし、会話もはずまないでしょう。

また、「そんなことはない」という人であっても、

「では、職場で隣に座る人に何か聞いてみたいことはある？」

と聞かれると、実は聞くことがあまりないことに気づくはず。

ましして、これが初対面や馴染みのない人が相手となると、さらに興味は遠のきます。会話がむずかしいはずです。

相手の体験を「我がこと」のように感じられる人

1章では「軽い私ネタ」を披露しようとお伝えしました。

この章では、相手から**「軽いあなたネタ」を引き出すコツ**をお話ししましょう。

なぜかというと、他人が持つ軽いネタには、必ずあなたが「共感」できる部分があるから。

そして、ときに「まったく自分と違う姿」に驚きを感じる場面があります。

「共感」も「驚き」も、どちらも大いなる興味となって、会話を広げてくれるからです。例えば、

「電車で座っていると、隣にいた小柄な女性が降りて、大きくて厚かましそうなおじさんが座った。苦しい！」
「出張先で熱烈に握手を交わして別れた相手と、しばらくしてトイレで再会したときは気まずかった」
「すっごい美人なのに男運が悪く少し不幸だと聞くと、心の中でバンザイしている自分を叱ってやりたい」

どうでしょうか。

「プププッ」と思わず笑ってしまったお話はありましたか？　それが共感です。

「話し方教室で隣に座った人に、妙に親近感を持ってお茶を飲むことに。話をしていると、彼女が幼稚園のときに仲のよかった〝あゆみちゃん〟だとわかった！」
「行きつけの居酒屋に、娘婿（むすめむこ）という人が板前で入ってきた。しばらくすると、彼はお手伝いの十五歳年上の女性と駆け落ちをしたらしい」

こちらは驚きのストーリーですね。

思わず「う～ん」と唸(うな)ったかもしれません。自分には経験はないけれど、話を聞くともっと内容を詳しく聞きたくなるはず。

これが会話の面白さです。

私たちは他人の話を聞くと、**相手の体験をまるで「我がこと」のように再体験**できます。すると、いろいろな感情がわいてきて心が躍(おど)るのです。

どうも私たちには、さまざまな感情を体験したいという熱望があるようです。映画や小説に引き込まれるのも、きっと登場人物と一緒に冒険や悲恋を体験できるからだと思います。

人との会話も同じ。ただ、「相手からどんな話を引き出せるか」は、あなたの腕次第。

あなたのそばにいる人がたとえ無表情に見えても、その陰で必ずさまざまなストーリーを体験しているもの。あなたの知らないところで、泣いたり、笑ったり、怒ったりしているのです。そう思えば、他人にグッと興味がわくことでしょう。

「ああ、今日はどんな話と出会えるのだろうか」

そう思えるようになれば、人と話をするのが楽しみで待ち遠しいものに変わりますよ。

雑談のヒント

「弱気」になったり、「強気」になったりする場面を聞き出す

ゴルフや趣味の話など、よくわからない内容であっても、じっくり聞いていくうちに「見栄を張るとき」や「つい弱気になるとき」など、誰にでもある心の機微(きび)を語り出すもの。そうした感情をくみ取れば話はドンドンふくらんでいく!

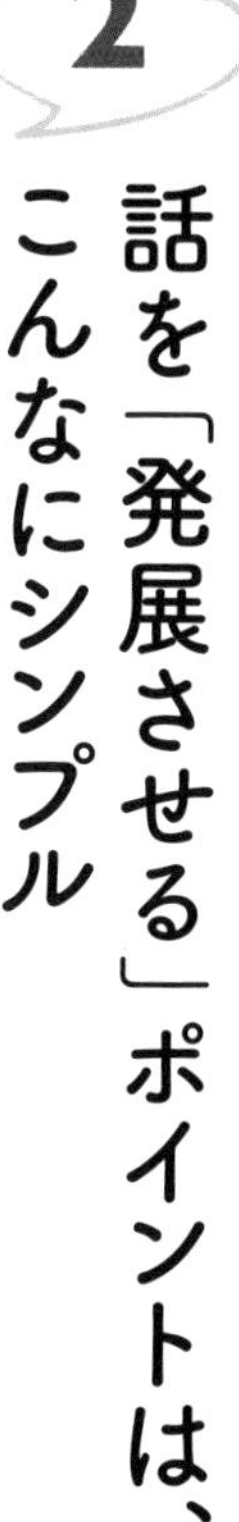

2 話を「発展させる」ポイントは、こんなにシンプル

次は、「他人の軽いネタ」を引き出すコツに移ります。

例えば、相手が、

「気になっていた映画を観てきた」

と話をしてくれたとします。

こんなとき、相手の話に興味が持てず、話を発展させられないのは、あなたが「映画」にしか焦点を当てていないからなのです。

頭に映画しか浮かんでいないのであれば、「どんな映画」「役者は」「誰と行った」「どこの映画館」という質問しかできません。

返ってくる答えも「ラブストーリー」「ジャニーズの人」「二人で」「新宿」と一言で終わってしまうので、すぐに次の質問を用意しなければならず、会話に詰まってしまいます。

会話は「相手の人生ドラマを楽しみたい！」の気持ちで

ここで大事なアドバイス。

会話をするときは、常に「相手そのもの」をイメージすること。

「映画を観ている相手」を思い浮かべると、興味がきっとわいてきます。

会話における主人公にすべきは、「映画」ではなく「人としての相手」なのです。


あなたは映画を観るときに、どんな行動を取るでしょうか。

また、どんな気持ちになることが多いでしょうか。

「必ず予約して行く」

「スタート時間の三十分前には、映画館に入っている」

「一番端(はし)っこの席を選ぶ」

「隣にどんな人がくるのか心配になる」

「エンドロールまで見る」

「ポップコーンを必ず買う」

など、映画を観るにも、さまざまなドラマが待っていることに驚くでしょう。

ここから、相手への質問を考えて、

「席は予約して行くほう?」

「映画を観る前に買うものは?」

「隣に厚かましい人がきたら、イヤだよね」

「どんなシーンにウルウルきちゃう?」


などと投げかければ、人はけっこう、しゃべってくれるものです。

こうした質問ができたら、だいたい話ははずむもの。相手からまとまった話が出てくる可能性が高いからです。

「どんなシーンでウルウルきちゃう？」

「頑固オヤジが、実は家族のことを思っているけど、表現がまずくて家族から浮いているシーンに弱いんだ」

「なにそれ！」

「オレもそんな年代になったのかな。死んだオヤジのことを思い出してね」

「へー」

「気がつけばオレも家族から浮いているし」

「そうなの！」

こうしたやりとりが、まさに**会話の醍醐味**。

自分とはまったく違う人生、行動、言葉に出会ったときの驚き。その「生のドラマ」に、あなたは映画よりも深く心を動かされるのです。
そして「ああ、人間って面白い」って心で叫ぶでしょう。

雑談のヒント

相手の「喜怒哀楽の姿」をイメージして尋ねよう

「いい映画は何回でも観たくなるよね！」
「生き方に影響する映画ってあるよね！」

「知らない話題」でも会話を楽しむコツ

「相手そのもの」に焦点を当てて話を聞けるようになると、どんな話題からでもドラマを引き出せるようになり、会話を楽しめます。
よく聞く「知らない話になったら、もう話せない」という戸惑いも、簡単に解決します。

「自分は子どもがいないので、子どもの話をされてもわからない」
「スポーツはしないので、野球やサッカーの話はちょっと」
「ブランドの話はついていけない」

そんなふうに感じてしまうのは、「プロ野球の話をされたら、自分もプロ野球の話をしなくてはならない」と思い込んでいるから。

では、どうすればよいのでしょうか？

話題とは、あくまで「相手の人柄を知るための材料」

雑談をするときに、頭においてほしいのは、「話すのは、あくまで相手の人そのもの」について。

野球はあくまでも「材料」にしかすぎません。

あなたは**「プロ野球」という材料（話題）を通じて、相手の暮らしぶりや行動、人柄、人間関係を聞かせてもらう**と考えてみましょう。

頭に浮かべるのは「野球」ではなくて「相手そのもの」。

相手が贔屓（ひいき）のチームを応援しているシーンをイメージしましょう。相手はどんなところにいますか？

野球場、テレビの前、職場、居酒屋とさまざまなシーンを思いつくよう頑張ってみましょう。もう会話がはずむ雰囲気になってきました。

その上で、

「球場にも応援に行くの？」
「CS（テレビの有料チャンネル）にも入っている？」
「職場には野球の話ができる人がいるの？」

などと聞いてみます。

さらに野球にまつわるイメージを浮かべます。

応援グッズ、ユニホーム、スポーツ新聞、スポーツニュース、ビール、敵チーム。いろいろありますね。

「応援グッズなんて持っているの？」

と聞かれたら、熱心なファンはたまらず話をしてくれるでしょう。

メガホンやユニホームにとどまらず、なんとパソコンのマウスパッドやゴルフのマーカー、ふりかけまで売っているなんていう話を聞けば、誰だって、

「へー!!　そうなんだ～」

と言いたくなるでしょう。

「本題から外れた話」ほど面白い

例えば、若い人がオジサマ方から「ゴルフネタ」を振られたときはどうでしょう。

「ゴルフなんて、ルールもよくわからないよ～。困ったなぁ……」

と焦るのではなく、落ち着いて相手の行動についてイメージしてみます。

まずは、その人がゴルフを楽しむために、どこにいるかを想像してみましょう。

このとき、「ゴルフ場以外の場所」がイメージできたら上出来ですよ。

例えば、家、ゴルフショップ、駅のホーム、会社などが思い浮かぶはず。

そうしたら、すかさず、

「家（会社）でもゴルフの話をされるのですか？」

「駅のホームとか大きなガラスの前で、素振りのマネをしている人がいますよね」

「つい、ゴルフショップに吸い込まれてしまうこともあるんでしょうね」


などと話してみます。

私が友人から聞いた話によりますと、女性店員がキャバクラ嬢のように派手で美しく、しかもトーク抜群なゴルフショップがあるんだとか。

ボールを買いに行くと、言葉巧みに、そして女の色気を使って手袋や高額な商品をおススメしてくるんだそうな。

「オレ、いつもつい買っちゃうんだよね～」

こうなると、もうゴルフの話から外れているでしょう。そして、話を聞いているのも楽しい！

このコツをマスターすれば、「軽いあなたネタ」がバンバン聞けるようになりますよ。

雑談のヒント

相手が「楽しそうに取り組んでいるところ」をイメージしながら話を振ろう

「クラブにも、こだわりがあるのでしょうね」

「練習によく行かれるんですか」

「昼食時のビールが、たまらないと聞いたことがあります」

4 配偶者、子どもの話を聞いてみる

ここで思い出してもらいたいのが、1章でお話しした「軽い私ネタ」のつくり方。雑談の中に、家族など「自分の人間関係」をからませる手法です。

相手の話を引き出すときも、同じように「相手の人間関係」をからめながら、話を振ってみるのです。

例えば、プロ野球が好きな人の話を聞くときは、「野球中継を見ているときの相手の家族」の姿をイメージして、雑談の中に登場させるのです。

すると、次のような話ができます。

「奥さんやお子さんも野球好きですか？」
「野球とドラマの時間がかぶったら、どうするのですか？」

話は野球ではなくて、相手の「家庭の話」へと広がっていきます。するとと奥さんと彼との「力関係」や、子どもに尊敬されているかどうかなど、愉快な話になること間違いなしなのです。

これは、先ほどもあげた「オジサマネタ」の典型であるゴルフなどの話題でも使えます。

ゴルフは早朝に起き出して出発するということを知っていれば、もう楽しいトークの始まり。ゴルフと聞いたら、相手の家族、なかでも奥様が登場すると、話はがぜんドラマ性を発揮するはずです。

「ゴルフに行く日の朝、奥様は起きて朝ご飯の用意などしてくれるのですか？」

「起きてくれるはずないじゃん！」

などといった話が聞けるでしょう。

私がこの質問をゴルフ仲間にしたところ、

「仕事に行くときも起きないのに、ゴルフのときに起きるわけがない」

と吐き捨てた人がいました。

あとは、彼の悪妻ドラマで話に花が咲き、キャディさんがお腹を押さえて笑い転げ、右に大きく曲がった彼のボールを見失ってしまったのでした。

めでたし、めでたし。

相手に「リアルな話」を展開してもらうには

子育てをしたことがない人も、子どもに焦点を当てずに、相手を含めた人間関係をイメージしましょう。

ご主人、両家のおじいちゃん、おばあちゃんなどをイメージの中に登場させ、「どんなことをするかな？」と想像すれば何かがひらめくはず。


「ご主人も可愛がっているでしょう」

「ご主人は育児も手伝ってくれますか」

「おじいちゃん、おばあちゃんは可愛くてたまらないでしょう」

「でも、おじいちゃん、おばあちゃんにしょっちゅうこられたら、奥様はしんどいかも」


いかがでしょうか。

あなたの中でドラマが動き出し、あなたの質問で相手のリアルな話が展開されます。

こうなったら相手から飛び出してくる話に、笑ったり驚いたりしていれば、時間はあっという間に過ぎ去ってしまうでしょう。

こんな内輪話を聞かせてもらえたら、たとえ初対面でも数年来の友人ぐらいの距離に感じるようになります。

相手もそこまでしゃべってしまったら、あなたに大きな親近感を持つことでしょう。

これが営業なら商談はドンドン進み、婚活ならゴールイン間違いなし。

人の話を聞くときは、その話に関わりそうな相手の人間関係を想像します。

まずは奥さん、ご主人、子ども。そして恋人や会社の同僚といった人々を登場させて、話を引き出してみましょう。

きっと、思いもかけない素晴らしいドラマが待っています。

みんな、まわりの人とどんなやりとりをしているのだろうか！

興味は尽きません。

雑談のヒント

相手の人間関係について聞いてみる

「あなたが応援しているチームが勝ったら、奥さん（ご主人）も一緒に喜んでくれますか？」

「観戦中、お子さんは静かにしていてくれますか？」

5 「溜まっている気持ち」を吐き出させてあげる

「軽い私ネタ」でお伝えした上級編、「自分の些細な気持ちを軽く話してみる」というテーマを、**「相手の些細な気持ちを聞かせてもらう」**に置き換えて話を引き出してみましょう。

人間というのは気持ちを刺激されると、イメージのインフレーションを起こします。物語が次から次へと頭の中に広がるのです。

つい最近、私も三歳のお子さんがいる男性に、

「子どもができると、独身のときとは違う気持ちを味わえるでしょう」

と聞いてみたばかり。

すると、こんな言葉が返ってきました。

「保育園の運動会で、ゴールで待っている自分に向かって笑顔で駆けてくる我が子を見ると、なんか泣けてくるんですよ」

保育園、幼稚園の運動会って、おじいちゃん、おばあちゃんがハンカチで目頭をぬぐうシーンが続出するんだとか。

子どものいない人でも「へー、そうなんだ！」って思わず声のトーンが上がる話ですね。

「ムッとくる」「困る」「我慢する」に触れるだけで……

会話が上手だと、たくさんの人生を聞かせてもらえます。一回の人生で数百人、数千人の人生を体験できるのが会話なんです。

「でも、自分にはちょっと、むずかしいかな」と思う方のために、相手の気持ちの引き出し方をお伝えしましょう。

けっこう楽しい話になるのが**「ムッとくる」「困る」「我慢する」**という気持ち。

まず基本は、この気持ちを使ってみましょう。

「ネガティブな気持ち」を吐き出さないようにしている人は多いので、質問でちょっと刺激すると話が止まらなくなることも。


「子どもは可愛いけど、ときにはムッとくることもあるよね」

「部下にムッとくることもあるでしょう」

「ムッとくるお客さんもいるでしょう」

「学校ではムッとくることを言ってくる親もいるでしょう」


このように、相手の立場を想像して聞けば、傑作や名作の話がたんと聞けることを保証します。

もちろん、前向きでポジティブな気持ちも使ってください。

「いいな（よかったな）と思う」「嬉しい」「幸せ」といったシンプルな気持ちでいいのです。

「結婚して（一人暮らしで／会社を興して）よかったなと思うのは、どんなところ？」

「この仕事をしていて一番嬉しかったのは、どの瞬間？」

「地方で暮らしてみて、ああ幸せだなって感じるのは、どんなとき？」

すると、自分が想定したものではない「意外なドラマ」に出会えることもあります。

ただし、気持ちを尋ねる質問は、相手の「深い内面」に触れることが多いので、いきなり使わないことです。

初めは「当たり障りのない話」から始めて、相手が心を開いてくれたと感じたら使ってみてください。

雑談のヒント

「溜まっている気持ち」や「幸せな気持ち」を聞いてみる

■「我慢している」ことを聞く

「仕事で我慢していることもおありでしょう」

「人に言えない事情もおありでしょう」

■「嬉しい」ことを聞く

「上司（部下）から言われて嬉しいのは、どんな言葉ですか？」

「家庭を持って幸せを感じるのはどんなときですか？」

「世代が違う人」とも話をはずませるには？

「若手社員が自分の父親、祖父世代の取引先の社長とまったく話ができなくて困っています」

と打ち明けてくれたのは、大手銀行の支店長。

「こんにちは、○○銀行です。資金の御入り用はございませんか？」
「うん、今は間に合っているよ」
「そうですか、失礼しました」

こんなやりとりで一分も経たないうちに退散。

「キミんとこの社員、何しにきてるの？」
と取引先に言われて大恥をかいたようです。

雑談をしながら、取引先との新しいビジネスの可能性を模索したり、極秘ネタを引き出したりするのが営業の仕事。雑談もできないのでは、新規開拓どころか取引先を失うことにもなりかねません。

もちろん、これは父親世代の人が息子世代の人と話をするときも似たり寄ったりなのだとか。

「趣味や出身地を聞いた後に、新人と何を話せばいいのかわからない」
と嘆く管理職も多いらしいのです。

世代が違えば、趣味も関心のあることも違います。ＩＴ技術の進歩などで価値観や文化も大きく変わっています。ふつうに考えて、「共通の話題はない」と考えていたほうがいいでしょう。

では、どうするのか。
「人間として共通している部分」にフォーカスすれば、無理に話題を探さなくても楽しい会話ができます。

つまり、私たちは夜眠り、朝起きてご飯を食べ、電車や車に乗って会社に行き、あるいはリモートで仕事をし、家に帰って風呂に入り、また寝る。会話もするし、買い物も、スポーツもする。笑うし、泣くし、怒る。家族も、友人も、職場の同僚もいる。

こうした部分は「人間として共通」しているのです。

誰とでも「共通する話題」は見つけられる

例えば、若い営業マンが取引先に出向いて、先方の社長と話すとき。
若手であろうと社長であろうと、職場に通勤するのは同じと気づけば、もう会話はスタートできます。

「社長は車でご通勤ですか？」

これで会話が自然と始まるでしょう。そして、

「では満員電車などには乗らなくてすみますね」

と続けます。

すると相手も、こう返事をしてくれるでしょう。

「でもね、道路も混んでるよ」

「しかし運転手さん付きの車ですと、新聞もネットも見られますから、情報収集の時間が取れますすね」

このように話を振れば、もう仕事の話に入れます。

何回も会っていて、「さばけた感じの人」と感じたら、

「私など毎日、満員電車ですから、スマホを見る余裕もありません。痴漢と間違

われないために、手はバンザイしてますから」

などと自分の話も織り込めば、「キミ、面白い人だね」なんて気に入ってもらえるかもしれません。

さまざまな状況で「自分はこうするけれど、この人はどうするのだろう」という興味と想像力を発揮できれば、どんな人とでも会話はできるものです。

雑談のヒント

親世代と話すときは、「○○は、どうされていらっしゃるのですか?」「××については、どうお考えですか?」と聞いてみる

■スポーツの話題を振ってみる

自分「○○様の世代ですと、一番人気のあるスポーツは何なのでしょうか?」

相手「ああ、野球かな」
自分「やはり野球ですか」
相手「テレビでね。とくに甲子園の高校野球は必ず見るね」
自分「では、夏はお楽しみが多いですね」
相手「まあね。××出身だから、必ず応援しちゃうんだよね」
自分「××のご出身なんですね。強豪揃いではないですか！」
相手「うーん、ベスト8に残ればいいほうなんだけど、それでも見ているると声が大きくなるね。実は…」

7 グンと距離が縮まる！「チャーミングな自虐」の使い方

「結婚したいのに、相手がいない」

「いい人がいれば、結婚したい」

そんな声を聞くことが多くなってきました。世の中には、こんなにもたくさんの異性がいるのに、どうして「いい人」に巡り会えないのでしょうか。

さまざまな人たちがその理由について語っていますが、私が強く感じるのは**「人と人との距離が遠のいている」**ことです。

自分のプライベートなことはあまり言わないほうがいい。他人のプライバシーについて尋ねるのは憚（はばか）られる……。そんなことを考えすぎて人との距離をつくりすぎたので、男と女の間にも深くて遠い河ができてしまったのでしょう。

例えば婚活で、

「ボクの家の近所に有名なパワースポットがあるんですけど、ボクには全然パワーつかないですね」

「お客様との会話で、先方が可能性は〝数パーセント〟しかないっておっしゃったのに、私、『スーパー銭湯でございますか?』って聞いちゃったんです」

なんて話をされたら、ほとんどの人はこの言葉を発した相手に好感を持つと思います。ちょっとした言葉からも、人柄は現われるのですね。

ちょっと「ドジなところ」に人は惹かれる

誰にも魅力が備わっています。「自分には魅力がない」「ただのドジ人間だ」と思っている部分にも、他人は魅力を感じてくれるものなのです。

人は「優れている部分」に惹かれるのではなく、その人の「素直な人間性」に惹かれるものだからです。

仕事でも同じです。

「電車通勤を自転車に変えたら、運動をしてお腹がすいて弁当が大盛りになって、体重が月に一キロずつ増えたんですよ。もう自転車通勤はやめました」

「入社当時、営業課の秘密兵器と呼ばれた私ですが、それ以来ずっと秘密のままできております」

なんていう話ができたら、やはり先方の人との距離がすぐに縮まって、仕事もうまくいくはずです。

「あの秘密兵器の人でしょ」と覚えてもらえますからね。

「自分ネタ」を上手に使えるようになれば自分を伝えることができるし、「相手ネタ」を引き出せれば相手を深く知ることができます。

そうなれば会ったばかりでも恋が始まるし、顧客を訪問してもイヤな顔をされることはありません。

互いの「軽いネタ」を自由に語り合える世の中にしていきたいですね。

雑談のヒント

「おっちょこちょいで、ドジなところ」に人は親しみを感じる

「ダイエットするために、ランチは炭水化物を控えているのですが、二、三日すると我慢できなくなって、夜食にラーメンを山盛り食べてしまうんです」

「ウォーキングで遠くまで行きすぎて、道がわからなくなってタクシーで帰ることもあるんですよ」

「踏み込んだ話」ができる相手の見分け方

これまでお話ししたことを教室でも生徒にお伝えしています。すると必ず、「そんなに踏み込んだことを聞いても、大丈夫なのでしょうか？」という心配を口にされる方が出てきます。

野球観戦が好きな人に「奥様も、一緒に応援されているのですか？」というように、会ったばかりの人にいきなり奥さんのことを聞いてもいいのかと不安に思うようです。

こう考えてください。世の中には、

①どんなことでも話してくれるタイプ
②親しくなると徐々にプライベートなことを話してくれるタイプ
③自分のプライバシーを決して口にしないタイプ

がいるのです。

相手の反応から、どんなタイプかがわかる

どうすれば三つのタイプを見分けることができるのか。それはまず、自分が先に軽い自分ネタを披露することです。

「うちなんか、テレビのリモコン権は、家内が握っていますからね。競馬はいつもスマホで見ています」

という感じです。

すると、①のタイプは、

「えっ！　おたくも？　うちも奥さんが王様ですよ。私が威張(いば)っていられたのは

結婚して三日……」

と、すぐに自分のプライバシーを公開してくれます。この人には恐らく何を聞いても大丈夫。人によっては聞かれてもいないのに年収まで口走っちゃう人もいます。

②のタイプも、先にあなたから自分ネタを披露して、それから同じようなことを質問すると、少しずつ自分のことを話してくれるようになります。

でも、このタイプにはいきなり深い話、例えば「夫婦ゲンカのよくある理由」などには踏み込まないことです。

問題は、③のタイプの人ですね。

あなたが自分ネタを披露しても「そうですか」という程度の返事しかしないことでしょう。軽くジャブを打つ感じで「○○さんのお宅ではリモコン権はどなたに？」と聞いて様子を見ましょう。

恐らく「うちは、そんなことはないかなあ」などとはっきりしない返事がくるでしょう。それは、**あまり踏み込んで聞いてほしくないというメッセージ**だと受け取ってください。

そして、それ以上、プライベートに踏み込んだ質問をしなければ大丈夫。あとはあなたが「自分ネタを」少し披露して、それでも相手が自分のことをしゃべってくれなければ、当たり障りのない情報の会話で過ごしてください。

世の中には、自分のドラマを積極的に話してくれる人がたくさんいます。「家族のことなんか聞いてもいいのだろうか」と心配していては、せっかくの話を聞きそびれてしまいます。

まずは、自分ネタをしっかり用意すること。その後で相手にもそのネタに沿った質問をしてみること。すべてはそこから始まります。きっと愉快で奇想天外なドラマに出会えて、あなたの人生も豊かになりますよ。

雑談のヒント

踏み込んだ話をするときは、「私ネタ」への反応を見てから「休日の過ごし方」をネタにする

①「どんなことでも話してくれるタイプ」なら…

自分「休日は、とくに予定がないので、いつ誘われてもOKなんですよ」
相手「私には誘ってくれる友人もいませんよ」
自分「そのほうが本当にゆっくりできるから気楽ですよね」
相手「気楽すぎてダメ人間になりそうですよ。服も着替えないし」

ここまでオープンな話をしてくれる相手なら、「本当は、一緒に過ごしている方もいたりして」と突っ込んでみると、意外な本音が聞けることも。

②「徐々にプライベートなことを話してくれるタイプ」なら…

自分「休日は、とくに予定がないので、いつ誘われてもOKなんですよ」
相手「ふーん、休みの日はゆっくりしてるんだ」
自分「○○さんは、どうやって過ごしていらっしゃるんですか？」
相手「よく出かけるかな」
自分「ショッピングですか？」
相手「まあね」
自分「出かけると気分も変わりますよね」
相手「うん、気分変えないと、やってられないから」
自分「ああ、相当お疲れが溜まっているんでしょうね」
相手「うん、ホント、毎日いろいろあるからさ。この間も…」

まずは日頃、溜まっている感情を話してもらおう。徐々にうちとけてきて、プライベートな話をしだす可能性アリ。

③「自分のプライバシーを決して口にしないタイプ」なら…

自分「休日は、とくに予定がないので、いつ誘われてもOKなんですよ」
相手「そうですか…」
自分「はい、インドア派なもので。○○さんも、お好きな過ごし方はありますか?」
相手「とくにないけど…」
自分「休日はゆっくりするのが一番ですよね」

差し障りのない話をしたら退散してよい。このタイプと話すときは次項を参考に。

心を開かない人への効果的なアプローチ

あなたが自分ネタを披露しても、それにちなんだ質問をしても、曖昧（あいまい）な返事しかしてくれない人。職場にそんな人がいたら、またそんな人がパートナーの家族だったりしたら。

彼らと会話を交わすのは、なかなかむずかしいことでしょうが、手は残されています。

彼らには、まず**「必要な話題」で話しかける**ことです。

職場の人なら、「こちらの書類、ありがとうございました」などと伝える。

パートナーの家族なら「○○さん、風邪気味で寝込んでいるみたいですね」と言ってみる。

お礼やお詫び、業務連絡ならば、彼らも違和感なく話を聞いてくれます。

「ああ、いえいえ」とか「そうですか」などという短い返事でしょうが、それだけでも大成功。


その後「○○さんの文章はわかりやすいですね」などと、少しだけ話を広げる努力をします。返事は「いえ、そんなこと」という程度でしょう。

彼らと話すときは、会話を早めに切り上げて解放してあげること。彼らは長く話すことにストレスを感じます。

なのに、あなたから「もっと話して。もっといい返事をください」という雰囲気を感じると、それに応じる力がないので苦痛になります。

「いえ、そんなこと」と言われたら、「そうなの」とでも言って笑顔を送り、その場から去ってあげましょう。

そういうやりとりをしながら、時々あなたの自分ネタを披露してあげます。

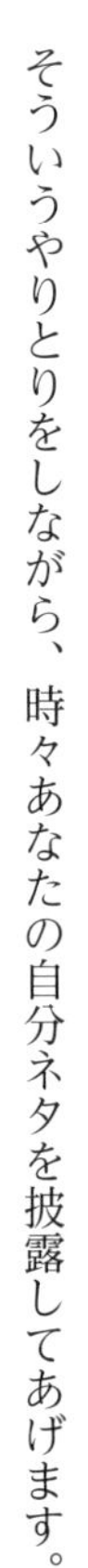

大切なのは「相手のペースを尊重」すること

彼らの心が開くのを待つのは、ほんの少し忍耐が必要になるかもしれません。

長い時間がかかったとしても、やがて重い扉が開くように、ゆっくりと彼らの心も開かれていきます。

ただし、彼らにとって家庭や学生時代の話は、触れられたくない部分があるかもしれません。

ですから、彼らの口からその話題が出るまでは、そっとしておいてください。


「朝はパンかご飯か」

「動物は好きか」

「通勤電車では座れるのか」
「仕事中に眠くなったりしないか」

といった、答えやすい話から入ってあげてください。
口が重い人も、心が開かれてくると、実は面白い話、驚愕（きょうがく）の話を聞かせてくれることも。心の扉が重い人には、**相手のペースを尊重しながら気長につき合うように**してみましょう。

雑談のヒント

無難な話題を振りつつ、長期戦でじっくり構えて！

自分「私、最近、肩こりがひどいんですよ」
相手「そう」
自分「テレビで肩こりに効く体操をやっていたので試しているんですけど、

あまり変わらないですね。肩こりは、ひどくないですか？」

相手「多少はあるよ」

ここまで話してもそっけない態度の場合は、ここでサッと切り上げて別の話題へ。無理に話そうとしなければ、やがて心を開いてくれるときがくるものです。

3章

話が面白い人は「聞く」のもうまい

……これで話し手のテンションが一気に上がる！

「ひたすら傾聴」はやめてよし！

ここからは「アクティブな聞き方」を紹介していきます。

これは「**自分も適宜**（てきぎ）**、話をしながら相手の話を聞く**」という積極的な聞き方です。

私は以前から、雑談に「傾聴」を持ち込む風潮に疑問を持っておりました。

傾聴とは相手の話に口を挟まず、ただ黙って時々「そうなの」とか「もっと聞かせて」と相づちを打って、話し手の話が出てくるようにすること。

でもそれでは、雑談は楽しめないでしょう。

自分の感じたことや言いたいことを言えなければ、ストレスは溜まるばかり。楽しいわけがないですよね。

話し手のほうも聞き手が完全な受け身でいれば、自分の話が途切れたら会話が止まるのですから、プレッシャーがかかるはず。

傾聴は基本的に聞き手の感情を表わさないものですから、話し手も話す甲斐(かい)がないはずです。

自分の話も「合いの手」のように織りまぜる

雑談ですから、**お互いの話や気持ちを自由に語り合ったほうがいい**と私は思います。

聞き手であっても、もっと自分の話を織りまぜてもいいはずです。

そのほうがあなたの人間性が相手にも伝わって、喜んでもらえます。

話もがぜん盛り上がるはず。

一つだけルールがあるとしたら、それは**相手が話そうとしていることに気を配って、勝手に話の筋道を変えることがないよう気をつける**こと。このことは、後ほど詳しくお話しします。

アクティブに話を聞く力。それは**雑談を自由に楽しむ力**です。

雑談のヒント

気持ちが動いたときは、合いの手を入れてみよう

×相手の話が終わるまで、ひたすら相づちを打つ。

○話の腰を折らない程度に、「うわ、面白いね」「気まずいね」「私もこんな体験をしたよ」などと、合いの手を入れて会話に参加する。

2 「聞き上手」と「聞き下手」——その差はここに！

さあ、話を聞く極意に迫りましょう。

アクティブに話を聞くためには、相手の話に深く入り込む必要があります。それは**想像力を駆使すること**です。

手始めに、親しい人と話す事例で練習です。

例えば、相手に「この間、動物園に行ったんだ」と言われたとしましょう。ほとんどの人は、その意味を理解するだけで終わっているようです。

つまり、文章を頭に浮かべている感じです。だから反応が薄いのでしょう。

聞き上手はこのとき、どうしていると思いますか？

実は、**相手の話をリアルに映像や動画として頭に描きながら聞いている**のです。

「相手に聞いてみたいこと」が次々思い浮かぶコツ

では、早速レッスンです！

「動物園に行った」という人の話を聞いて、あなたは何を思い浮かべましたか。

動物園のゲート、ゾウなどの人気動物、ふれあい広場でのシーンなどを思い浮かべた方も多いと思います。

ここで聞き上手とそうでない人とを分ける決定的な要素があります。

それは、その**イメージの中心に話し手がいるか**どうか。

ゲートをくぐる相手の人、ゾウなどの動物を見る相手、ウサギなどの小動物を触る相手……。

2章でお話しした「映画を観た人の話を聞くときは、映画だけではなく、映画を観ていた相手のことを中心にイメージする」（84ページ参照）という方法と同じです。

そして、あたかも自分がウサギを触る感触を持ちながら話を聞くのです。

「ウサギって本当にフワフワですよね」

と、自分が触っているかのような言葉が思わず漏（も）れているなら、上手にイメージができている効果。

そうなれば、聞いてみたいことが次々に浮んできますよ。

雑談のヒント

「相手の姿」を思い浮かべると、「的確な返事」ができるようになる！

■「忙しい！」とため息をついていたら…

朝から、休む間もなく仕事をする姿を想像してから、

「睡眠や、ゆっくりご飯を食べる時間はとれている？」と気づかう。

■「部下指導ってむずかしい！」とぼやかれたら…

ミスを連発する部下を前に、困りきっている姿を想像してから、「素直な人ばかりじゃないもんね」と共感してみる。

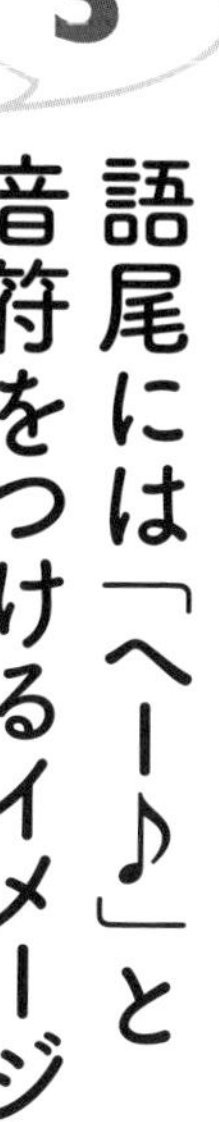

3 語尾には「へー♪」と音符をつけるイメージで

話し手が話している内容を思い描き、**話し手の気持ちになると、自然と気持ちが言葉になります。**

これが**相づち**です。

「この間、動物園に行ったんだ」と言われて、そのシーンを思い浮かべたら「へー」の相づちにも楽しさや喜びが加わります。

「へー♪」と、語尾に音符がつく感じです。

聞き下手な人も「へー」とは言いますが、話し手から見ると、そこに何の感情も感じられないことが多いもの。

それは想像がうまくできていなくて、話し手の気持ちを感じ取れていないからだと私は感じています。

「ただの合いの手」になっているのです。

私の話し方教室で生徒のみなさんに、

「昨日はゴルフだったのですが、大雨でドロドロになりながら最後までプレイしたんです」

と話したことがあります。

このとき返ってきたのは、「へー、大変でしたね」と抑揚のない言葉。

これでは話し手も力が入りません。


そこで「もっと想像してみましょう。自分が大雨の中でゴルフをしている。ずぶ濡れになりながら、パンツも靴下も靴も泥だらけ、雨は横殴り、空は真っ黒です」

「自分がその場にいたら、どう？」

と聞くと、みんな表情があふれてきて答え方が変わります。

「寒かったでしょう」
「風邪を引きませんでした？」
「早く帰りたくなりますね」

などという言葉がジャンジャン出てきます。誰だって想像力を働かせれば、相手の話す世界に入り込み、相手と同じ気持ちになれるのです。

相づちは大きく、感情豊かに

本物の聞き上手に、

「昨日、お風呂の設定を間違えて四十五度のお湯に飛び込んじゃって」

と言うと、

「あつーっ！」

と反応してくれます。

想像の中で、聞き手自身も四十五度のお湯につかっているのです。

「口内炎が一度に三個もできて、そこに醤油が直撃したんです」

と言うと、

「痛たたっ」

とも言ってくれます。

聞き上手が聞くと、聞き手の口にも想像の中で口内炎が三つできて、醤油が直撃しているのです。

ここまでいい反応をもらえると、話し手は聞き手が自分と一体になってくれていることに喜びを感じ、話す意欲がわいてイメージが次から次へと浮かんできます。もう話は止まりません。

一方、聞き下手に同じことを言っても「大変でしたね」としか言ってくれません。口内炎の痛みをイメージすることもなく答えているので、反応が薄くなってしまうのです。

このように相手の話を聞くときは、相手の話を想像しながら聞き、その世界に入り込んでみましょう。

そして、話し手と一緒に気持ちを味わってみましょう。

相づちが大きく感情豊かになって、話し手が喜んで話をしてくれるようになります。

たまに、聞き下手の方から「共感ってオーバーに反応するということですか？」と質問されることがあります。

これは話を「言葉」だけで理解しようとしている人の発想です。

声だけを大きくした、感情が伴わない反応をすると、とても不自然で、違和感しか残りません。


まずは練習あるのみです。

場数を踏むうちに、相手の話を相手の視点、自分の視点を織りまぜてイメージできるようになり、感情が自然に伴います。

オーバーではない、本物の感情豊かな反応ができるようになります。

「一体感」を感じさせる人、「なんか違う」と敬遠される人

よくビジネスシーンでは、「商談の前に雑談をしましょう」と言われることが多いのですが、なぜでしょうか。

それは話し手である、お客さんの話を想像しながら聞き、相手と同じ気持ちに

なって、感情のこもった相づちを返すことで、お客さんが**「私の気持ちをわかってくれたんだ！」**と一体感を感じ、嬉しくなるからです。

「子どもの七五三に家内のお父さんがきて、話が合わなくて困ったよ」

とお客さんが言えば、

「うわ、それは気まずそうですね」

「居場所がなくなりますよね」

などと返すと、お客さんも嬉しいもの。

嬉しくなれば、

「自分のことをわかってくれた。この営業の人はいい人だ。好感が持てる。彼の思いも叶えてあげたいな」

という気持ちになります。

すると、商談がいい方向へと進みます。

たとえその商談がうまくいかなくても、**次はなんとかいい話をしてあげたいと**

お客さんに思わせてしまうのが「雑談の効用」です。

これは婚活でも同じ。

ただ言葉のやりとりができればいい、沈黙にならなければいい、何か質問ができればいい、というのは思い違いです。

相手が聞きたくもない話をして、相手が聞いてほしいところを外していたら、それでは次に会う約束はもらえません。

「なんか違う」というのは、気持ちをわかってもらえなかった寂しさを表わす言葉だと思って間違いないでしょう。

想像力を使って相手の話す映像の中に入れてもらい、相手の気持ちになる。そして気持ちのこもった相づちを返す。

これができたら相手と一体感が持てますし、関係がとてもよくなるのです。

雑談のヒント

映像を思い浮かべてから、答えよう！

■「この間、自販機でジュースを買うために百五十円入れたら、百円のおつりが出てきたんですよ！」と言われたら…

釣り銭を手にとってニッコリ笑う相手を想像してから、「ラッキーでしたね！」と応じる。

4 こんな「感想」を聞かされたら誰もが嬉しくなる！

さあ、それではアクティブな聞き方の第一歩。聞き手が最も簡単にできる「自己表現」に入りましょう。

それは**相手の話に対する「簡単な感想」を言葉にして返す**こと。

主役はあくまでも話し手です。

とはいっても、聞き手も自分の感じたことを表現したいのは当然の気持ち。

そこで、話し手の話したい内容からはそれないように気をつかいつつ、聞き手も自己表現をしてみましょう。

例えば、相手が「ネコカフェにはまってて」と言ったら、

「ネコは可愛いよね」

「癒されるよね～」

「ああ、触りたい～」


とあなたの感じ方を言葉にします。

これなら相手が話したいことを妨げず、しかも話し手の気持ちが盛り上がります。

反対に「ネコより犬が好きだな」なんて言葉を返してしまったら、相手は話しにくいことでしょう。テンションもだだ下がりです。

「いいなー」と思ったら、素直に自己表現！

ここで心配性な方は「おかしなことを言って、自分の感じ方がおかしいと思われるのが心配」などと思って表現することをためらうようです。

それでは、あなた自身を自分で蔑み、制限することになってしまいます。

たかが雑談です。**自分を自由に表現する喜び**を味わいましょう。

それに感じ方を表現すれば、あなたも立派に会話に参加していることになります。相手から「何もしゃべらないね」などとは言われません。


「ちょっと贅沢な焼肉屋に行ってきたよ。上ロースが二千円もするの」

と言われたら、まずは想像しましょう。

高そうなお肉がジュージューいいながら焼かれているのです。もう、つばがわいてきたはず。

すまし顔で紙のエプロンを首からさげた相手も、想像の中心に据(す)えてください。

どんな気持ちがわいてきましたか。まずは、「いいなー」でしょうね。

そして、

「おいしそー」

「ぜいたくー」

「私も食べたい」

と、込み上げてくる言葉を全部言葉にしちゃうのです。


なんと！　これだけでまわりから見れば、あなたはもう「よくしゃべる人」で「楽しい人」。相手も話しやすいはず。気の利いた話題などなくても、会話に充分参加できています。

簡単でしょう。早速、誰かをつかまえて雑談をしてみましょう。

雑談のヒント

相手の話に、自分の感想をつけ加えてみよう！

■「今度、百人の前でプレゼンするんですよ」と言われたら…

まずは、こんな場面を想像してみましょう。

台本をつくる、練習する、役員がいっぱい座っている、あがる、上司からプレッシャーをかけられる、など。

これを受けて、「緊張する」「夜も眠れない」「頭が真っ白になりますよね」と、思いついた感想を言ってみます。

5 オウム返しは「気持ちが動いたとき」だけ！

ここでもう一つ、「傾聴神話」を打ち砕いておきましょう。

それは**「オウム返し」**。

「私、ゴルフに夢中で」と言われたら、「ゴルフですか！」と同じ言葉を使って返す手法です。

どんな聞き方の本にも出てきて、これで相手はバッチリ話し始めますと書いてある。読者が遠くにいる著者にありがちな、安易なフレーズです。

でも、これが見事にうまくいっていないようなのです。

「オウム返しをしても、話はそこで終わります」と、みなさん渋い顔。

それはそうでしょう。相手の話をうまく想像できないまま、とりあえずという感じで形だけ同じ言葉を返しても、相手は「気持ちのこもっていない言葉だな！」と感じて気分が冷めてしまうのです。

大切なのは「テンポのよさ」と「ニュアンス」

そこで私からの提案です。

話を聞いてもあなたの気持ちがわいてこないときは、オウム返しは使わないこと。そうしないと、きっと無駄で終わります。

では、いつ使うのか？　それは**あなたの気持ちが大きく動いたとき**です。

「給料がいきなり十万円上がったんですよ」

「えーっ！　じゅうまんえーん！」

こんな感じ。このオウム返しは、「な、な、なんだってー」というニュアンスを相手に伝えているのです。

うまく言えない人は、まず、

「本当ですかー」

「びっくりですねー」

と気持ちを込めて言ってみましょう。

そして、同じトーンと気持ちで「じゅうまんえーん！」と表現してみましょう。

教室では、この方法で相づちに目覚めた方が大勢います。

あなたの感じた気持ちを言葉にうまく乗せられたら、オウム返しはうまくいきます。

「私の家内はブルガリア人なんですよ」

「ブルガリアじーん!!」

家に帰る。玄関を開ける。「ただいま！」と言う。そしたら中から、色白でそれはそれは美しい白人女性が現われるのですよ。エプロンして。もちろん金髪！もう「ブルガリアじーん!!」となるでしょう、ふつう。

雑談のヒント

気持ちを込めれば、返事は短くてもOK

■「うちの会社、今年のゴールデンウィークは八日間も休みがあるんだよな」と言われたら……

×「えっ、御社では今年のゴールデンウィークは八日間もお休みが取れるのですか！」

○「えっ、八日間も!!」

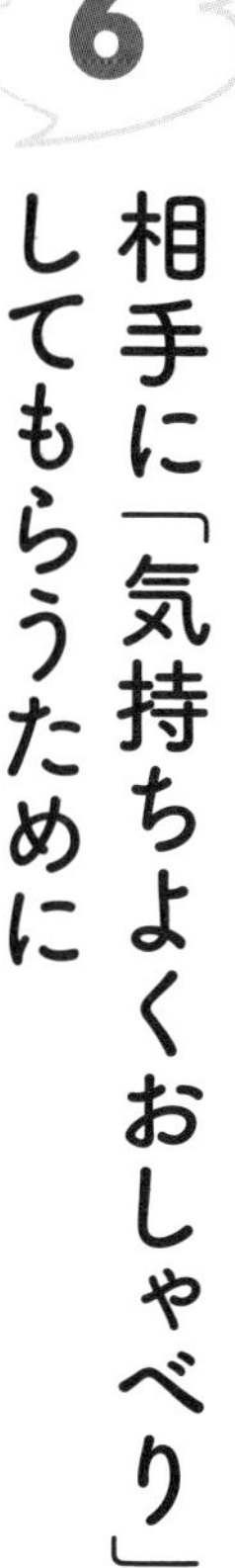

6 相手に「気持ちよくおしゃべり」してもらうために

いよいよアクティブに聞くスキルの真骨頂！

あなたの話をまじえながら聞く方法についてです。


「先週、北海道に行ってラーメン食ってきたよ」

さあ、相手がこんな話を始めました。

まず聞き手に求められるのは「いい反応」です。

例えば、

「へー、いいですね♪」

などです。

「なんで北海道？」「どこのラーメン？」などと聞くのはまだ早い。

相手がこの話をどう展開したいのかが見えるまでは、しっかり反応して進行を見守ります。

「すっごい行列でね、一時間ぐらい並んだよ。ラーメン専門誌で見つけた店で、どうしても行きたくなってね」

ようやく相手の意図が見えてきました。「我慢して待った甲斐があった」ということを伝えたいようです。

相手は、よほどのラーメン通とお見受けしました。

話の流れが見えたら、あなたもおしゃべりに参加しましょう。

注意することは一つ。相手の話したいコースから外れないように、そして**自分の話が終わったら、また相手が話の続きを話せるようにすること**です。

こんな話なら挟んでも大丈夫。

「行列に並んでいるときに流れてくる、あのスープの匂いがたまらないねー。そして、不思議とみんな無言なんだよね」

もしかすると相手はあなたの話に乗って、相手の話がうっかりコースを外れることもあります。

「ラーメンの行列に並ぶのは、一人に限るね。前につき合っていた彼女と、行列に並んでいるときにケンカになってね。あの人、今はどうしてるかな……」

あなたが気の利いた聞き手になりたいのなら、コースから外れたことを覚えておいてください。

ひとしきり話をさせてあげて、一段落したら、「北海道のラーメン屋で一時間並んだ話だったよね」と伝えて、話を戻してあげます。

すると相手はハッと我に返り「そうそう」と元の話をしてくれるでしょう。

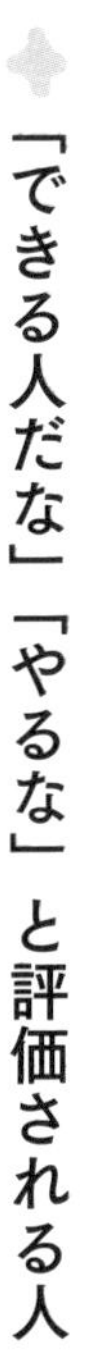

「できる人だな」「やるな」と評価される人

ベストセラー『聞く力』（文春新書）を書いた阿川佐和子さんも、彼女の番組ではインタビュー役にもかかわらず気持ちよくおしゃべりしています。

日本を代表する女子サッカー選手が新婚ほやほやで出演したときのこと。

ゲストが「彼もそのとき相手がいなくて」と話したら、阿川さんは、

「そんないい男が、それまで何をしていたんでしょうね」

と、すかさず話をうまく挟んでいました。

もちろんゲストは笑顔になり、さらに饒舌（じょうぜつ）になったのは言うまでもありません。

テレビ番組の名司会者はみんな上手に自分の話を挟み込みながら、ゲストの話を引き出しています。

これも聞く技術の一つと考えていいでしょう。

ラーメンの話なのに、

「オレはｉＰｈｏｎｅの発売日に三時間並んだよ」

という話がＮＧなのはわかりますよね。ラーメン屋の行列に並んだ話に戻れませんから。

まあ、そうなったとしても、

「そうそう、○○さんのラーメン屋の話でしたね」

と、話し手に主役の座を返す気持ちをしっかり持っていれば大丈夫。

大事なのは**相手の意図を感じ取り、最後まで話をさせてあげるゆとりを持つこと**。

それができたら話がはずむだけではなく「できた人だな」「やるな」と高い評価を受けることでしょう。

仕事も恋愛もうまくいきますよ。

雑談のヒント

相手の気持ちを削がない返事を！

■「××の舞台公演に申し込んだら、前から三列目の席が取れたんだよ」
　という話に挟むなら…

×「僕はこの間、吉本新喜劇を観てきたよ」

○「僕は、好きな歌手のファンクラブに入っているけど、コンサートでそんな前の席に当たったことはないよ」

7 相手の「聞いてほしい話」を察知する

もう一つ自分勝手に話を進めて、損をしている人の実例を。

「妻と初めて旅行に行った金沢に、三十年ぶりで行ったんですけど、外国人のあまりの多さに旅行気分がしなかったですね」

「ほー、どこの国の人が多かったですか？」

この後、話し手は言葉が少なくなり話を早々に切り上げました。

聞き手はそれをたまたまのことと受け取り、気にも留めていない様子。

この聞き手は「自分は相手の話をちゃんと聞いている」と思っています。でもその多くは、自分が聞きたいことを聞いているにすぎません。

聞き上手とは、相手の聞いてほしい話をしっかり聞ける人のことを言います。

恐らくこの話し手が聞いてほしかったのは「妻と初めて旅行に行った金沢に、三十年ぶりに行った」というところ。

「それは残念でしたね。でも気持ちは三十年前に帰れたでしょう」

と、思い出話を聞いてあげる場面でした。

こんなふうな言葉をかけられたら、話し手は

「金沢は昔のままでしたが、我々の体型はまったく変わってましたね」

などという話をしてくれたのかもしれません。きっと、お互いの気持ちも通じ合って、よりよい人間関係を築けたことでしょう。

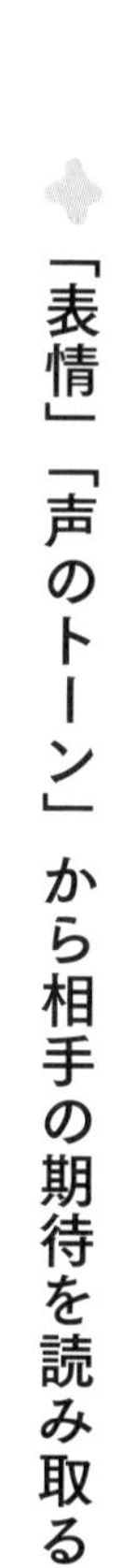

「表情」「声のトーン」から相手の期待を読み取る

またある若い営業マンは、上司の話の聞き方にズッコケたという話をしてくれました。彼は上司にこんな報告をしたとのこと。

「先輩から引き継いだC名簿の○○社様から、建設機材の注文をいただけるお話になりました。C名簿だからとあきらめずに通い続けたのがよかったみたいです」

「ほう、それはツイてたな。予算はどれくらいだ」

ちなみにC名簿とは「まったくの期待薄リスト」のこと。そこから売上をつくることは至難の業なのです。

つまり、受注できたのは「ツイていた」からではなく、彼の「努力と才能の賜物（もの）」です。

彼は上司が、

「C名簿から売上を取るなんて、お前は営業の天才だな！　どうやってそんなことができたんだ」

と喜んでくれると思って報告したようです。

「世の中って、そんなものなんですよね」とガッカリした様子で気の毒でした。

この上司もやはり「私は話を聞いている」と思い込んでいるはず。そして一人の若手社員のやる気を削いでいることに気づきもしないのです。

たいていの人は、「自分の聞きたいことしか聞いてはいない」のが現実です。

本物の聞き上手は、先ほどお話ししたようなわかりやすい話ばかりではなく、話し手の表情や声のトーンを聞き分けて、**「まだ話せていないことがあるみたいだ」と察知**します。

そして、さらに深く話を聞こうとするのです。

雑談のヒント

話し手が「最もわかってほしいことは何か？」を意識して答えよう

■「今年はお天気続きで、桜が長持ちして、お花見に五回も行けちゃいましたよ」と言われたら…

×「この季節にお天気が続くのは珍しいんですよ」

○「お花見に五回も！　うらやましい」

8

「反応が大きい人」はその場にとけ込める

「私は人の話を聞いてばかりで、自分の話ができない」というお悩みをよく聞きますが、その理由ははっきりしています。

「反応が小さい！」これに尽きます。

声が小さい、動きが小さい、感情が伝わらないから会話に入れないのです。

実は反応の薄い人は、その場にいる人から見れば、その会話に参加していないような感じなのです。

とくに**三人以上で話すときは、大きな反応がなければ会話にはなかなか参加で**

きないでしょう。

「この間、生まれて初めて金縛(かなしば)りになったよ」

と誰かが言ったら、

「えーーっ！」

と大きい声で驚きを表現してみましょう。

あなたが「えーーーーっ！」と言っている間は、他の人は口を挟まず待っていることが多いです。

その間をうまく利用すれば、あなたも話すことができるのです。

「人の気配はした？」

と質問することもできます。

「あれって耳だけ聞こえているのに、体は全然動かないのよね」

と流れを変えない範囲で、自分の話を挟むことも可能。

さらに前にお伝えした感想を言葉にする方法も使えます。


「こっわーい」

「私ならおしっこ漏らしちゃう」

「出たー！　本当にあった恐い話」


と言葉を挟めば、他の人はあなたに注目して黙ります。

話す権利があなたの手に回ってきたのです。

相手の話を「自分のことのように」感じてみる

反応が小さい人はときに「聞き上手ね」と言われることがあります。

これはほめられているのではなく、「あなたって反応が薄いし、自分の話もしないのね」と皮肉を言われていると考えたほうがいいでしょう。

相手の話を想像する。そのイメージの中心に相手を据える。相手がイメージの中で活躍する。それを**自分のことのように感じてみる。**

そうすれば自然と大きな反応が生まれます。

寝ているときに急に体が動かなくなって、おかしな人の気配や声がすると想像してごらんなさい。

聞きながら「うわー」って大きな声が出てきますから。

少し勇気を出して、積極的に相手の話に入っていってください。

雑談のヒント

いつもの二倍の音量で「えー！」と言ってみる

■話すタイミングのつくり方！

・いつもより大きな声で驚いてみる。

・「そのとき、○○だったの？」と質問してみる。
・「私も○○したことがあるよ」と体験談を手短に話す。
・自分の感想を言ってみる。

4章

相手の想像力をかきたてる「話し方」

……相づちが倍増し、笑いも取れる！

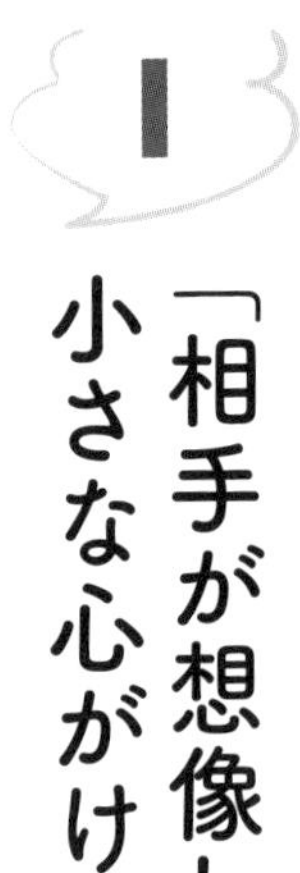

「相手が想像しやすいように話す」小さな心がけ

落語を見ればよくわかります。

同じ演題なのに、名人が話すと爆笑がまき起こるのに、素人が話すとクスリとも笑いが起きない。

これは一般の人にも起こりうる現象です。

あの人が話すと話が頭の中にすんなり入ってくるのに、別の人が同じことを話すとチンプンカンプンということもよくある話。

ということは、話は内容も大事だけれど、**話し方、伝え方によって相手に伝わるものが大きく変わる**ということになります。

ここに「話し上手の秘密」が隠されています。

 人は「言葉をイメージ化」しながら聞いている

これまでお話ししてきた通り、私たちはイメージする力を使って自分が体験したこと、考えたこと、感じたことを伝えています。

また、他人の話も言葉をイメージ化することで理解し記憶しているのです。

「この間、東京スカイツリーに行ってきましてね」とあなたが話したら、相手はスカイツリーを頭に浮かべながら聞いているわけです。

話をする、話を聞くとはそういうものだと意識するところから「話し上手への道」は始まります。

「相手は自分の話を頭に思い浮かべながら聞いているのだな」とわかると、「では想像しやすいように話してあげなくちゃ」という気になるはず。

相手が想像しやすいように話す。これを意識して話せたら、あなたも必ず聞き手を感心させたり、大笑いさせたりできるようになります。

雑談のヒント

少々、反応が悪くても、慌てて話を先に進めない

■相手の反応が薄いときは…

×楽しませようと、ドンドン話題を展開させる。

○相手がイメージをふくらませているのだと心得て、落ち着いて話を続けていく。

2 「情報のつめ込み」には注意しよう

聞き手は、あなたの話を一つずつ頭の中で思い浮かべながら聞いています。

こうした聞き手の事情を知らずして、自分の体験や感じたことを一気に伝えようとしていないでしょうか。

ここでは、「聞き手が話を聞いて、そのシーン（場面）を想像すること」を「イメージする」と表現します。

例えば、

「この間東京スカイツリーに行ってきたんだけど前売り券を買ってなかったもの

だから二時間も並ぶ羽目になって展望デッキに着く頃には足が棒になっていたよ」(句読点がないのは、話し手が一気にしゃべる様子を表わしています)

この話には、

「東京スカイツリーに行った」
「前売り券を買っていなかった」
「二時間も並ぶ羽目になった」
「展望デッキに着く頃には足が棒になっていた」

と四つものシーンが含まれています。

話し手は自分の話なのですから、そのシーンを簡単に思い浮かべる(イメージする)ことができます。

しかし、聞き手にはまったく初めての話ですから、イメージするのはけっこう時間がかかり、手間なことなのです。

「独りよがりな会話」にならないために

ここで、重要な知識を覚えておいてください。**聞き手が聞いた話を同時に頭に思い浮かべることができるのは、だいたい二つくらいまで**です。

「この間、東京スカイツリーに行ってきたんだけど、前売り券を買っていなくって」

ここまでがベスト。

もちろん、相手が全力であなたの話を注意深く聞いているときは別です。

でも、そんな人はほとんどいません。**人は他人の話をちょっといい加減に聞いているもの**です。

だから、

「東京スカイツリーに行った」

「前売り券を買っていなかった」

「二時間も並ぶ羽目になった」

「展望デッキに着く頃には足が棒になっていた」

と、四つものシーンをいっぺんに送り込むのは、聞き手にとっては迷惑なことと言えるでしょう。

話し下手の人の話が伝わらないのは、これが原因と言っても間違いないと思います。


話がうまく伝わらない人は、まず自分の話を相手がしっかりイメージできているかどうか、確認しながら話してみましょう。

つまり、**相手をよく見ながら話す**のです。

話し下手の人ほど視線が相手から外れて、独り（ひと）よがりに話を進めている感じになりがち。それでは人と会話しているとは言えません。

会話に「いいテンポ」が生まれる間のあけ方

では、どうやって話せばいいのか。
それは、聞き手がうまくイメージできるように話すことです。
一つ話したら間をあけて、聞き手がイメージする時間をつくります。

「この間、東京スカイツリーに行ったんだけどね」
「ええ」
「前売り券を買っていなかったのよ」
「へー」
「そしたら二時間も並ぶ羽目になって」
「あら」
「展望デッキに着く頃には足が棒になっていたよ」

「わー、かわいそうに」

話の間隔は、**初めは長めに**。時間にすると二秒ほどです。

すると、聞き手は相づちを打つようになります。

少し話す、相づちを打つ、また少し話す、相づちを打つ。

このやりとりを意識してつくると、会話にテンポが生まれます。

とはいえ、話を短く切りながら、聞き手に相づちを打たせる、といっても、これまでとあまりに違う話し方に戸惑う人もいるでしょう。

まずは、**反応のいい楽しげな人を相手に練習**してみてください。

あなたが「昨日は雨だったのに傘を持ってなくって」などと言って言葉を切り、相手の顔を見れば、その人はきっと「ええ」とか「うん」と相づちを打ってくれるでしょう。

そうすれば短い言葉でのやりとりが生まれ、そのテンポが理解できるようになるはずです。ときには、お相手から話がはずむような、いいツッコミをもらえることさえあります。

世の中には、反応が悪い人もいるものです。反応が悪く相づちが返ってこなくても、言葉を短く切って伝えたほうが話をわかってもらえる度合いは高くなります。まずはチャレンジあるのみです。

雑談のヒント

「二秒ほどの間」が、相手の想像力を刺激する！

■営業先でアイスブレイクするときは…

×話したいことを一気に話す。

自分「最近、暖かくなってきましたね。実は、私は北海道の札幌出身でして、三年前に上京したとき、東京の三月はこんなに暖かいんだ、と驚いた記憶がありました」
相手「ふーん」
自分「えっと…」

○間をあけて、相手の反応を待ちながら話す。
自分「最近、暖かくなってきましたね」
相手「…そうだね」
自分「実は私は、北海道の札幌出身でして」
相手「へー」
自分「三年前に上京してきたんです」
相手「え？　そうだったんだ」
自分「はい。ようやく東京の生活にも慣れてきたところです」
相手「よかったね」
自分「あの頃、驚いたことがありまして」

相手「何？」
自分「東京の三月は、こんなに暖かかったんだって思ったんです」
相手「だろうね。札幌の三月って、どのぐらい寒いの？」
自分「まだ、冷蔵庫並みの気温ですね」
相手「そうなんだ！」
自分「はい。でも札幌にいる頃は、それでも春を感じていました」
相手「え、そうなの？」
自分「それまでは冷凍庫の中にいたようなものでしたから！」
相手「それよりはマシだね！　ハハハ」

その場が「いい感じ」になる うまい説明のコツ

読者の中には、間をあけて相手に相づちを打ってもらうことにどんな効果があるのか、疑問をお持ちになった方もいるはずです。

この**「間」と「相づち」は、話をはずませ、お互いの気持ちを近づける不可欠な要素**なので、これらをまじえて丁寧に説明してみましょう。

「先週、ご飯を食べにフレンチのお店に行ったんだけどね」

「ええ」

「メニューを書いた黒板を見てびっくりしたのよ」

「ほう！」

「窒息させた鴨って書いてあるの」

「なにそれ！」

「わざわざそんなこと書く必要があるのかと思って、シェフに聞いたらね」

「ええ」

「シャラン鴨って言って、窒息させることで美味しくなるんだって」

「へー！」


話というのは、意味を伝えれば終わりではありません。

話し手が「見て」「聞いて」「感じた」ことを、聞き手にもなるべくそのまま感じ取ってもらうことが必要なのです。

「フレンチのお店に行った」と聞いた聞き手は、まるで自分もフレンチのお店にいるようなイメージを描きます。

続いてメニューが書かれた黒板が思い浮かびます。

そこには「窒息させた鴨」という文字が！

まるでテレビを見るように物語が進行するから、感情がわくのです。

すると、話し手と聞き手が同じシーンを思い描きながら、話が進むようになります。

「意味だけ伝わればいい」では好かれない

聞き手は想像の中で、黒板に「窒息させた鴨」という文字を見て、話し手と同じように驚き、興味を持つでしょう。もはや二人は同じフレンチの店にいて、同じものを見て、同じ気持ちを味わいます。

つまり**一体感が生まれる**のです。こうなると話が伝わるスピードも速くなり、ゆっくりと話す必要もなくなります。

だからこそ初めはゆっくりと、間を十分にあけることで、**話し手が描くイメー**

ジの中に聞き手をお招きする必要があるのです。

「先週、ご飯を食べにフレンチのお店に行ったんだけどね」
「ええ」

このやりとりは、

「今から話す舞台はこんな感じなのよ、どう？」
「うん、私も同じシーンを思い浮かべたよ。続きをどうぞ」

という感じのやりとりだと思ってください。

意味だけ伝えれば、それでいいという話し方をする人、自分が感じたものをなるべく同じように伝えようとする人。

これが「話し下手」と「話し上手」の差でしょうか。

加えて相手と一体感をつくり上げることができる人は、相手から好かれること間違いなしです。

この伝え方を、ぜひぜひマスターしてください。

雑談のヒント

シーンを区切って話し、一つひとつの場面をよりリアルにイメージさせる

×一気に話すと…

自分「先日、新しくオープンした××書店に行ったのですが、また行きたくなりました。落ち着いた照明でカフェみたいなんです。その上、ジャズも流れていて思わず長居して、たくさん本を買ってしまいました」

相手「そうなんだ…」

自分「ええ」

○間をあけながら話すと…

自分「先日、新しくオープンした××書店に行ったんです」

相手「ふーん」
自分「また行きたくなりました」
相手「何で？」
自分「落ち着いた照明でカフェみたいなんです」
相手「ふーん」
自分「ジャズも流れていて、心地いいんです」
相手「えー、雰囲気いいね」
自分「そこかしこに、オシャレな雑貨やお菓子まで置いてあるんですよ！」
相手「うっそ！　見てみたい」
自分「まるで、オシャレな街にあるカフェなんですよ」
相手「それが、この街で体験できる！」
自分「はい。思わず店内のカフェでコーヒーを注文してしまいました」
相手「だよね」

4 アイコンタクトを送りながら話そう

話を伝えるときの、もう一つの重要な要素。それは**アイコンタクト**と**表情**です。

勇気を出して言葉を短く切る。間をあける。このとき、相手の顔をよく見てください。アイコンタクトを送るのです。

不思議なことに顔をしっかり見て伝えたほうが、あなたの思い描くイメージが、相手にもよく伝わるようになります。

そして、相手の表情を見れば、自分の話が伝わったのかどうか、すぐにわかります。

わかったときは、相手はあなたをまっすぐ見て、そしてうなずきます。

それが話の伝わったサインです。

「昨日は古いお得意様に久しぶりに挨拶(あいさつ)に行ったんだけど、知らない間にいろいろな人が退職をして、私のことを知っている人がいなくなっていて慌てました」

こんな話をしたとき、相手がうまくイメージできていない場合は、目が泳ぎます。

これはまだ考えている、あるいは頭の中が混乱しているサイン。

こんなときは話を先に進めずに、**「わかりにくい?」などと確認をする**べきです。

相手の存在を無視して話す人は、こんなサインを見逃して話を続けがち。それではまったく話が伝わらないはずです。

さらに余裕があれば、表情にも変化をつけてみましょう。

例えば、

「昨日は古いお得意様に、久しぶりに挨拶に行ったんですけどね」

と言うとき、渋い顔、浮かぬ声で言えば、聞き手は「何かまずいことがあったんだな」と一瞬で話の方向性を予測できます。

これを笑顔とはずんだ声で言えば、「何かいいことがあったんだな」とすぐに予測できます。

「目」と「表情」の情報量は言葉よりも多い⁉

このように**表情や声のトーンは一瞬で聞き手に内容を伝えることができます。**

それは言葉の何倍もの情報量を与えるので、聞き手は無理なく自然に話を理解できるのです。

だから、話し上手の話は聞きやすい。

仮に、次の話を無表情で伝えたらどうなると思いますか。

「古いお得意様に久しぶりに挨拶に行ったら、いろいろな人が退職をしていて、私のことを知っている人がいなくなっていたんです。でもなんとか粘って、一応注文をもらいました」

聞き手は最後まで聞いて、話を理解する努力を重ねて、ようやく「いい話だったんだ」と気づきます。

これでは相手もエネルギーを消耗します。

話し上手は、言葉以外にもさまざまなコミュニケーションツールを使いこなして、聞き手が楽にイメージできるよう努力していることが伝わったでしょうか。

まずは、アイコンタクトで話を伝える。

同時に、表情でどんな話なのかを伝えてみる。

それができたら、あなたの話は今の何倍も相手に伝わるようになります。

雑談のヒント

理解度を確認するために、しっかり目を見て話そう

・浮かない表情をしていたり、目が泳いだりする瞬間を見逃さない!
・早めに気づいて話し方を変えれば、相手も雑談を楽しめる。

なんでもない話を「愉快な話」にする方法

笑いを取るのがうまい人も、やはりイメージさせる力が強いのです。

「この間、スピリチュアル講座っていうのに行ってみたのよ」
「へー」
「そこの先生に自分は話が苦手で人見知りもあって悩んでます、って言ったら」
「うん」
「その先生が私を見て、会った途端に感じてたんだけど、って言ってね」
「うん」

「あなた地球にきて、まだ間がないわねって言われたのよ」

「えーっ！」

「私の魂は地球にきて、まだ百万年ぐらいしか経ってないらしいわ」

「わお」


生徒から聞いた実話です。スピリチュアルの先生は真剣だったと思いますが、お話としては面白すぎですね。

情景をはっきりイメージできたところで間を取り、相手の準備が整ったと見たら「あなた地球にきて、まだ間がないわねって言われたのよ」とオチを伝える。すると聞き手は「どんな話なのだろう」と思っていた緊張を解き、爆笑します。

せっかくの「いい話」を持ちぐされにしないために

この話も、

「この間、スピリチュアル講座っていうのに行ってみたんだけど、そこの先生に自分は話が苦手で人見知りもあって悩んでますって言ったら……」

と一気に伝えたのでは、聞き手は話を丸ごと聞かされて、その情景や感情を味わうゆとりがなく、笑いも起きません。

「へー」と反応するくらいが関の山でしょう。

繰り返し述べてきましたが、口下手な人は「いい話」を持っていても、伝え方で損をしています。

大事なことなので、何度でもお伝えしておきます。

一つのイメージを伝えて、聞き手がそれをイメージする間を取り、そして次に進む。

この感覚をぜひ身につけてください。

なんでもない話が愉快で興味深い話に変身して、あなたもひとっ飛びで話し上手の仲間入りができますよ。

雑談のヒント

適度な「間」をつくると、さらにイメージがふくらむ！

「この前ね、会社で一番の美人に呼び出されたんですよ。すごい真剣な顔で『前から言おうと思ってたんだけど……（間）私のコップ使ってない？』って言われたんですよ」

こんな間の取り方をマスターしたら、いつでも爆笑が取れるようになりますよ。

6 「想像力の豊かな人」との会話はいつでも楽しい！

間をあけることで、話し手が意識して聞き手に相づちを打たせることができるとお話ししてきました。それが聞き手に「イメージする時間を与える」ことになるのでした。

逆にあなたが聞き手になったとき、相づちを意識的に強くゆっくり打てば、話し手はそのとき自然に沈黙し、いい間を生み出します。

「いい聞き手」は「いい話し手」をつくるのです。

「私の弟が四十九歳で結婚しましてね」

「あら！」

「それが、できちゃった結婚なんですよ」

「えーっ！」

「私には初の甥っ子ですよ」

「そうなんですか」

「さぞや可愛いでしょう」

「五十五歳の私から見れば孫みたいなものです。いやあ、可愛いものですね」

「それはそうでしょうねぇ」


聞き手がしっかり相づちを打つことで、話にいいリズムが生まれました。

「会話の面白さ」は聞き手次第

この会話の場合、「それが、できちゃった結婚なんですよ」と言うとき、話し手はきっと聞き手がびっくりしてくれるだろうと期待して言っています。

そこに感情の伝わってこない「はい」という相づちしか返ってこなければ、話し手の心はすぐに折れてしまうでしょう。

聞き手のときは、話し手の話をしっかりイメージしながら聞いてください。すると、気持ちがわいてきます。


話し手の状況を自分に置き換えてみて、あなたの兄弟が四十九歳でできちゃった婚をしたら、どんな気持ちがするでしょうか。冷静ではいられないはずです。

「自分はまだ二十代だからわからない」と言う人がいますが、想像力を使えばその気持ちになることはむずかしくありません。

その気持ちを深く感じて、「えーっ！」と驚きを表現できたら、話し手の想像力にはますます拍車（はくしゃ）がかかっていろいろなことを思い出し、衝撃的な事実を教えてくれるかもしれません。

自分が上手な話し手になれたら、**聞き手の大きな反応が、いかに大きな勇気とイメージを自分に与えているか**がわかるでしょう。

そして口下手だった頃に想像していたよりも、聞き手の役割が百倍も重要だったことにも気づくことでしょう。

雑談のヒント

話し手が間をあけたら、相づちを打ってあげよう

・相手が早口すぎて相づちを打ちにくい場合は、まずは大きくうなずく動作を!

・盛り上がる場面では、しっかり感情移入して、強めの相づちを打とう。

5章

もう「何を話せばいいか」悩まない！

……いたるところから「話のネタ」を拾う秘訣

「面白がって手を出す人」はネタがいっぱい！

話題とは、やはり自分の体（五感）で見つけるものだと私は思います。自分が見て、聞いて、嗅（か）いで、触れて、味わうからこそなまの話ができるというもの。

話題が少ない人というのは、まずさまざまな経験が不足しているのではありませんか。

経験といっても、「チョモランマに登る」とか、「幽霊が出ると噂の廃墟に忍び込む」ということではありません。

経験とは、**一見すると無駄に思えることでも、面白がって手を出すこと**です。

例えば、コンビニで「一流の人が飲むコーヒー」という名前の缶コーヒーを見つけたとします。

ほとんどの人は「ほう」と思って、一度は立ち止まるでしょう。

でも、気にはなるものの、手を伸ばして買い物カゴに入れるという人は少数派なのでは？

読者のみなさんには、そんなチャンスがあったらぜひ、話のタネに買って飲んでみてほしいのです。すると、話が始まります。

「一流の人が飲むコーヒーって知ってる？」

「ああ、あれ私も気になっていたのよ」

こう誰かが言えば、もうあなたは話題の中心。

そして、

「わざわざ金色のビニール包装がしてあって、いかにも一流の人が飲みそうな感じよね」

と、まず味や色合いについて語ります。

次に、「どんなところが一流の人が飲むコーヒーだと感じたか」「自分は一流に近づけたのかどうか」を語ればいいのです。

何かが「ふと気になったとき」は話のネタを集めるチャンス！

自宅や会社の近所でも、歩いていない道があれば歩いてみます。久しく通っていない道も思い出したら行ってみます。

すると、「町は生きている」という実感を持つかもしれません。新しいお店ができていたり、通りの様子が変わっていたりします。

私も最近二年ぶりに歩いた通りで、こじんまりとした蕎麦屋を見つけました。長屋の一角を改装して店舗にしているのです。

もちろん迷わず店に入りました。中はまるで家そのもの。靴を脱いでお店に上がります。

そして、お店の方とお話をしてみると、定年でリタイアしたご主人と奥様だけで、しかも昼間限定でやっているお店ということがわかりました。

「長屋をお店にできるなんて、思ってなかったんですけどね。オーナーさんがこの町に蕎麦屋がないことを長年嘆いていたらしく、特別にOKをもらったんですよ」

と、いい話が聞けました。

奥様に、

「いいご主人ですね」

と話を向けると、小声で、

「変わり者です」

とのお返事。なるほど、だから屋号が「とうへんぼく」かと納得。和やかな気持ちになれました。

いい話が手に入ったら、すぐ誰かに話してみることをおススメします。話というものは何回か「お試し」をしているうちに、次第に洗練されていくものです。

ふと気になったら、商品なら買ってみる。お店なら入ってみる。行列なら並んでみる。

それは話題になった後ではちょっと遅い。

面倒くさがらずに、無駄になるかもしれないことを厭（いと）わずに、**「あっ！」と思ったらちょっかいを出す意欲**が、あなたにいい話題を授けてくれるでしょう。

雑談のヒント

気になることはやりすごさずに、その場で確認しておこう。思わぬ発見やいい出会いがある！

■無駄に見えて、実は肥やしになる経験とは…
・ホテルの一杯二千円のコーヒーを飲んでみる。
・たまには十階まで階段を使ってみる。
・清掃ボランティアに参加してみる。

「自分の中に眠っている話題」を見つける方法

雑談とは、人と仲良くなり、いいおつき合いに発展させるための道具。なので、いくら話しても「互いの距離」が近づかないのでは意味がありません。

営業で雑談はしているけれども、ちっとも契約が取れない人。
婚活の場でおしゃべりには自信があると言いつつ、次のデートに進めない人。
交際はしても結婚にはいたらない人……。

もしかしたら、うまくいかないのは、「いい雑談」ができていないのも原因の一つでしょう。

「コミュニケーション力」という言葉を突き詰めれば、**「相手を知る力」**であり**「自分を伝える力」**だと私は考えています。

そして、**相手を知るのが「聞く力」**、そして**自分を伝えるのが「話す力」**ではないでしょうか。

「意外な一面」を具体的エピソードと一緒に話すだけで……

雑談というのは、「自分はどんな人なのか」「あなたはどんな人なのか」を語り合う場だと私はとらえています。

お互いがどんな人かわかるから、親しみが生まれるのです。

あなたは自分がどんな人なのか把握できていますか。

暑がりですか、それとも寒がり？

しっかりしている、それとも我慢が足りない？

一人上手、それとも寂しがり屋？

目立つ、影が薄い？……。

ふとしたときに見つかるそんな自分の小さな一面を、決して見逃さないことです。

そして、「あっ！　私にはこんな一面があるんだ」と感じたら、すぐに手帳や携帯のメモ帳に書き込みましょう。

するとあっという間に話題が集まってきて、話し下手から楽しい人に変身です。

自分の一面に、「影が薄い」ところを見つけたら、それを具体的なエピソードで表現できるよう意識します。

「私は影が薄いんですよ」と突然言われても、それだけでは相手もイメージしづらいはず。

ですが、それをエピソードで語れれば、相手はあなたという人をはっきりイメージできます。

例えば、

「私は影が薄くて、エレベーターの中で私がいるにもかかわらず、隣で私の噂話が始まることがあるんです。あの人、ぜんぜんしゃべらないね、なんて言われて身の置き所がなくなるんですよ。もう壁になりたかったです」

のように、エピソードをまじえて自分を表現できれば、相手はその場面をしっかりイメージできますので、バッチリ印象に残ります。

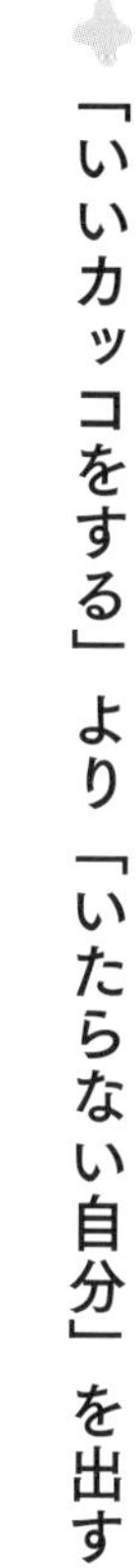

「いいカッコをする」より「いたらない自分」を出す

ここで重要ポイントを！　雑談では決していいカッコをしないこと。

「私は研究熱心で、自分の業界の最新ニュースを早朝に起きてチェックしている」

「私は部下に平等に接しているので、部下から信頼されている」

「私は子どもの気持ちを理解していて、彼らのやる気を引き出している」


そんな話、誰が聞きたいでしょうか?

人が聞きたいのは、あなたの軽い「いたらなさ」。

他人のいたらなさを聞くと、相手は自分の劣等感から解放されて、あなたに安心感を持ちます。

つい、いいカッコをしてしまう人は、好かれることはなく、仕事でもいいおつき合いをしてもらえません。

深く肝(きも)に銘(めい)じてください。

雑談のヒント

自分をオープンに表現したほうが、相手も親しみを感じる

「私は内気な性格で、お釣りが足らなくてもなかなか言い出せないんですよ。多いときも言えないんですけども」

「ちょっとしたエピソード」があるだけでグッと親しみがわく

「野口さんの教室で受付をされている方は、ちょっと天然系ですか？」

と、仕事で関係のある人から尋ねられました。

こんなときに、**まわりにいる人をエピソードで語る**ことができたら、あなたも話し上手の仲間入りです。

先ほどの問いに、私はこう答えました。

「山田さんですね。ええ、純度の高い天然ですよ。

あるとき、電話を取り次いだ彼女。真面目(まじめ)な顔で、先生、〝けいえいふしん〟

という会社から電話です、と言うじゃありませんか。

そんな会社あるはずないと思いつつ、恐いなーって思いながら電話に出ると、

『お世話になっております、けいえふしー（ＫＦＣ）でございます』って。

どうしたら〝けいえいふしん〟って聞こえるの！　しっかり聞いてってって、叱っておきました」


これを「けっこう聞き違いが多くて、純度の高い天然ですね」としか言えないのでは、そのトンチンカンぶりが伝わりません。

状況をいくら説明しても、相手はその天然ぶりを具体的にイメージすることはできないのです。


でも、**エピソードがあれば、相手はその天然の度合いをはっきりイメージできます。**

「ＫＦＣを〝けいえいふしん〟と聞いた！　こりゃ、すさまじい天然ぶりだ」と

一発で伝わるはず。その後の話もはずむでしょう。

聞き手の中に「いいイメージ」を構築するコツ

あなたもまわりの人について、尋ねられたことはありませんか？

例えば、「○○さんの彼ってどんな人？」と聞かれたら、ただ「優しい人」とだけ答えたのでは、相手もイメージがわきにくく、親しみを持てません。


これが自分の両親に説明するのであれば、なおのこと自分の彼にはいいイメージを持ってもらいたいものです。

「優しいよ。駅の階段でベビーカーを持ち上げようとしているお母さんを見つけると、手伝いましょうかって言って、赤ちゃんをお母さんに渡してベビーカーを持ってあげたりするのよ」

これでご両親の印象もよくなって、交際を反対されることはありません。話もふくらむし、一石二鳥というものです。

例えば、仕事で自分の後を引き継ぐ人を紹介するときも同じ。とくに営業の引き継ぎは、当人がその場にいないケースもありえます。

そんなときに「今度担当いたしますのは熱心な男ですので、ご安心ください」と言っても、それだけではイメージする材料が足りません。

「お客様が困っていらっしゃれば、専門外のインターネット広告まで研究してアドバイスをするほどの男です。いろいろなお客様から可愛がられておりますので、どうぞご安心ください」

と言われたら、先方の担当者も引き継いだ営業マンが一人で挨拶にきたとき、すでにいいイメージで待っているのですから、スムーズに営業に入れます。

ついでに**「女性にはモテませんが」とちょっと落としておく**と、さらに親近感が高まって効果的。これぞ仕事のできる人の引き継ぎ方と言えるでしょう。

さあ、あなたの奥様はどんな人ですか。ご主人は？　上司は？　お友達はどんな人なのでしょう。

それをいつもエピソードで他人に伝えられるように、お話を用意しておきましょう。

話題だけでなく、人間関係まで広がっていきますよ。

雑談のヒント

人物紹介するときは、エピソードを加えてみよう

■妻を友人に紹介するときに…

「うちの家内は本当に地図が読めなくて。だいたいは地図からはみ出たところで迷子になってますね」

■上司について、知人に話すときに…

「うちの課長は几帳面で困るんです。パソコンも書類も、机のラインに完璧に平行に置いてありますからね」

「話題にこと欠かない人」が心がけていること

話題が少ない人は、人と関わりを持たないような暮らしをしているのではありませんか。それではハプニングも起きず、刺激的な出来事にも出会えず、人に話すようなエピソードは生まれないでしょう。

私の会社に勤める面々は、けっこうなおせっかいです。

電車でお年寄りに席を譲る（ゆずる）のは当たり前。それだけでも小さな物語に時々遭遇できますが、さらにおせっかいが加わるとハプニング続出です。

その日、私の部下である梶村（かじむら）という女性は、電車の中で少し離れた場所に立っている初老のご婦人にわざわざ声をかけに行きました。

自分の席にカバンを置いて、

「あの席にお座りになりませんか」

と、自分の席を指差して優しく尋ねると、

「わたしゃ元気だから、いいのよ！」

と、けんもほろろなお返事。

「言わなければよかった」

と笑いながら、席に帰ってきました。


多くの人がお年寄りに席を譲りたくなくなる場面ですね。

でも、しばらくするとそのご婦人が近寄ってきて、

「私はね、山登りをしているから、足が強いのよ。触ってみて」

と言って、ふくらはぎを私たちに向けます。

すると梶村は、形だけ触りまして、

「本当ですね。鍛(きた)えてる！」

と、お世辞を言いました。これだけでも楽しい話なのですが、翌日、梶村が薬局のレジに並んでいると、後ろからつつく人が。

振り返ると、昨日のご婦人！

「カップ麺って、どこに売ってたっけ」

と、また話しかけられたんだとか。なんと近所にお住まいの方だったようです。

この話はどこに行っても大ウケ。彼女の持ちネタとなりました。

「話しかける材料」を意識して見つける

「馬には乗ってみよ、人には添うてみよ」と昔の人は言いました。

話題とは、人と人との間にあるもの。人を避けていたのでは、楽しい話題は手に入りません。

近隣の人には挨拶をする、相手が子ども連れなど、積極的に話しかける材料があるときは話をしてみる、困っている人には手を差し伸べてみる、という姿勢が**生きた話題を生む**ことを忘れないでください。

雑談のヒント

どんな人でも、意外な一面を持っているもの！

街で赤ちゃんを抱っこしているお母さんに、

「可愛いですね。何歳ですか」

と尋ねたら、赤ちゃんが人差し指を一本。

「一歳！」

と思わず私。

お母さんによると、街で尋ねられることが多いので、「一芸」として教え込んだとのこと。面白ネタ発見です。

5 「噂の真相」をリサーチしてみる

世間の噂というものがあります。

「父の日のプレゼント代は、母の日の半額」

「結婚前に可愛かった妻は、結婚後すぐに恐くなり、出産を経て鬼嫁に変貌(へんぼう)する」

「バレンタインデーの義理チョコを選ぶ時間は一個五秒」

ネットや人々の口を通じて流布(るふ)されているさまざまな噂。もし当事者に出会ったら、これらは必ず話題にして**事の真偽をはっきりさせておくべき**でしょう。

その話は、あなたの特ダネとして、いい話題になるはずです。

父の日が近づいてきたら、いろいろな人に「お父さんに父の日のプレゼントする？」と話を向けてみます。ほとんどの人が「します」と答えるでしょう。

そこですかさず「母の日と比べると、父の日のプレゼント代は安いの？　それとも一緒？」と聞いてみましょう。いい話がたくさん聞けますよ。

「お父さんにプレゼントをあげても、ちっとも喜ばないし、使わないし、あげ甲斐がないのよ。お母さんとは一緒に買いに行くし、とても喜んでくれるから力が入ります」

と悲しい物語に出会うことも。ああ、お父さん、本当は嬉しいくせになんたる態度。男の悲しい性（さが）が伝わってきます。これも秀逸（しゅういつ）な話題となります。

ついでに父親である本人にも話をぶつけてみましょう。

「父の日にプレゼントをもらいましたか？」

「母の日と比べて違いなど感じますか？」

すると、人それぞれのエピソードを聞かせてもらえて、びっくりするやら感激するやら。人間って面白いなと思えるでしょう。

「当事者」に聞いてみると意外な発見が!?

私は関西人です。関東の人々の感覚には疎(うと)いところがあります。

ちょうどテレビで「群馬県人、栃木県人、茨城県人のライバル意識」という話をしていたので、東京でセミナーを開いたときに当事者に話をぶつけてみました。

もちろん、みなさんシャレで語っていらっしゃるので、怒らないで聞いてください。

群馬の方に、

「栃木県の人のことをどう思っているのですか?」

と尋ねてみました。すると、

「私たちは埼玉のほうを見て暮らしているので、正直な話、栃木県のことは眼中にありません。いつかは埼玉に出てやると心に決めて生きています」

とのお返事。これに対して栃木の方も、

「私たちも群馬のことを考えたことはないです。栃木から群馬に行く道路もありませんし」

とのこと。

ちなみに、両県に通じる道路はちゃんとありました。

そして両県人とも、いきなり東京に住むことは畏（おそ）れ多くて考えられないとも語っていました。

まずは、埼玉で都会に馴染みたいという夢を持っているらしいのです。

ネタはテレビと同じでも、**出てくる話はぜんぜん別もの**。新鮮で活（い）きのいい話ばかりです。

今度ネットなどで気になるニュースを見つけたら、当事者に必ず話を向けてみましょう。
その場で話が盛り上がることに加えて、そこで耳にした話が明日のいいネタになることをお約束します。

雑談のヒント

世間の噂に耳を傾け、当事者に会ったら聞いてみる

■こんな噂の真偽はいかに？
・広島の人に「広島焼き」と言うと注意される。
・料理人は漫画『美味しんぼ』を必ず読んでいる。
・医者は健康診断を受けていない。

話に「新鮮味がある人」の秘密

私の教室で生徒とお話をしていますと、とても違和感を抱く場面があります。

例えば、

「今年の活躍度をプラス十点からマイナス十点で答えてみてください」

と尋ねたとき、初めに答えた人が「二点」と言うと、後の人も「一点」「二点」「三点」と似たようなことを言うのです。

中途半端なところを答える人が大多数で、マイナス十点とかプラス十点と答える人は稀(まれ)です。

どうやら、他人と違うことをとても恐れているご様子。

これも学校での横並び教育と関係があるのでしょうか。

「他人と違う自分」をサラッと表現してみる

でも、それではあなたの個性が死んでしまいます。人は自分とまったく違う人に興味を持ち、話を聞きたいと思っています。

人と同じでは、話に新鮮味がありません。

「月に二、三回はディズニーランドに行っている」

いいじゃないですか。ディズニーの尽きせぬ魅力を、ぜひ隠さずにお話ししてください。

「家では家事は一切しない。妻は家事をするくらいなら、いっぱい稼いできてと言います」

奥さんがＯＫなら、それで誰も文句は言いません。ぜひいっぱい稼いでください。そして、家で家事をしない話もたくさんしてください。

「十代ですが紅白歌合戦が好き」
「若いけど一人カラオケのときは演歌を歌う」

そんなことに遠慮はいりません。じゃんじゃん語ってください。

「クリスマスは寿司屋で乾杯」

最高じゃないですか。クリスマスはフレンチやイタリアンの店はどこも満席。でも、寿司屋ならすいている。寿司屋の大将もそれは喜んでくれます。

人様にご迷惑をかけること、他人がイヤな気持ちになること以外は、どうぞ**他人と違う自分を恐がらないで堂々と表現**してみましょう。

その姿勢があなたを魅力的な人に押し上げてくれます。

あなたのまわりのステキな人は、必ず個性を自然に表現しているでしょう。いいところは、どしどしマネをしてください。

雑談のヒント

「人と違うところ」は面白がられる!

「私はオムライスを食べるときは必ず、真ん中を真上から食べ始める」
「私はお風呂で必ず、三曲は歌う」

おわりに……あなたの心が自由になるほど
雑談ははずみ、たくさんの人に好かれるのです

雑談とは、あなたの感じたことを表現する大事な場所。だから自分を制限することなく、自由に表現するよう心がけてください。

「こんなことを言えば、おかしな人と思われるのでは」

「自分だけがこんな感じ方をしていたらどうしよう」

という恐れは捨てましょう。

あなたが感じたことは、あなたらしいこと。

「晴れよりも雨の日が好き」

「すき焼きのとき、お肉より焼き豆腐がたまらない」

「都会よりもジャングルで暮らしたい」など……。

人を傷つけること、イヤな気持ちにさせることでなければ、**あなたが感じたことや好みはあなたらしいこと**。それが大事です。


もちろん、それで合わない人も出てきます。ですが、そんなことを恐れていてはいけません。

それ以上に、あなたに親しみと好意を寄せる人たちが現われてきます。**あなたらしさに惹かれる人がたくさんいる**のです。

それが自由、それがあなたの魅力、それが生きている喜び。それらを手にしたら、「他人に嫌われないために生きてきたこと」が窮屈で馬鹿らしいことに思えるでしょう。

自由に話してもいいと自分を許せたら、雑談が素晴らしく楽しいものになるはずです。

さあ、これからどんな自分を表現してみたいですか。

本書では、私の教室で発見された「コミュニケーションの秘訣(ひけつ)」を、惜しむことなく披露しています。

その一つが、**イメージカ(想像力)を使う習慣を持つ**ということ。

話し上手、聞き上手の人は、自分の話をするときも、相手の話を聞くときも、その場面を自分の頭の中にあるスクリーンに映像として映し出しているのです。

話をするときは、まるで動画を見ながらその話を同時に解説するような感じ。だから、感情豊かに話せます。臨場感たっぷりに伝えられるのです。映像を見ながら話すから、話がスラスラと出てくるのですね。

これは、話を聞くときも同じ。

相手の話を自分のスクリーンに映し出し、まるでそれを自分が同時に体験しているかのように感じながら話を聞いています。

だから「えーっ!」とか「そんなー!」など、まるでその場で起きているかのような、臨場感たっぷりの反応をしてしまうのでしょう。

そして話の前後にも想像力がふくらむので、いい質問が浮かぶのです。相手は嬉しくなってハッスルして話してしまいます。

もし、「自分には、そんなイメージ力はない」と感じても大丈夫。まずはちょっとしたコツを身につけて、それを日常で使ってみましょう。

最後に、ここで紹介している秘訣のいくつかは、弊社の講師である梶村操（みさお）の発見です。

今、私の教室の最前線で最も力を尽くしているのが彼女です。コミュニケーションに戸惑う人々と相対する時間が一番長いので、こんなに素晴らしいインスピレーションに恵まれたのでしょう。

そんな大発見を惜（お）しげもなく私の著作で使わせてくれた彼女の広い心に、深く感謝します。

また、私に悩みや戸惑いをぶつけてくださった数多くの生徒のみな様にも、厚く御礼を伝えたいと思います。大勢のみな様のおかげで、本書は骨太な内容になりました。

一人でも多くの方々に、コミュニケーションを取ることの幸せと喜びが伝わりますように。

この本が、みなさんがどんな人とも気軽に雑談を楽しみながら、より充実した日々をお過ごしになる一助となれば幸いです。

野口 敏

本書は、すばる舎より刊行された『誰とでもスッとうちとけて話せる！　雑談ルール50』を、文庫収録にあたり加筆・改筆・再編集のうえ、改題したものです。

好かれる人は雑談がうまい

著者　野口　敏（のぐち・さとし）
発行者　押鐘太陽
発行所　株式会社三笠書房
〒102-0072 東京都千代田区飯田橋3-3-1
電話　03-5226-5734（営業部）03-5226-5731（編集部）
https://www.mikasashobo.co.jp
印刷　誠宏印刷
製本　ナショナル製本

 ISBN978-4-8379-6970-9 C0130

大好評！ 野口敏の
「話し方」シリーズ!!

話し方で好かれる人 嫌われる人

◇運がよくなる会話ルール49

「いいこと」がドシドシ運ばれてくるコミュニケーションの秘訣！

◎さわやかで好感度の高い「話の切り方」
◎「とほほ…」な気分こそ笑い話に変えていく
◎感情表現は「やや誇張ぎみ」に
◎「いい人」は話がつまらない!?

【すぐに使えるフレーズが満載!!】

話し方がうまい人 へたな人

◇この「気くばりのコツ」、知ってますか？

「好感度」が急上昇！
評価・能力・評判も「ことばしだい」！

◎相手の「得意分野」に話の水を向ける
◎誰だって「ねぎらわれたい」
◎「あなたのお力を借りるしかない」作戦
◎「○○以来です！」は魔法のフレーズ

【人も運もチャンスも集まる秘訣!!】

K20055